KB090044

콜론타이의
여성 문제의 사회적 기초·
세계 여성의 날

Alexandra Kollontai(1972), Selected articles and speeches, Progress publishers, marxists.org: Kollontai Archive, Lenin's Collected Works(1965), Volume 32, Progress Publishers, Moscow

시민 교양 신서 03

콜론타이의
여성 문제의 사회적 기초·세계 여성의 날

알렉산드라 콜론타이 · 블라디미르 일리치 레닌 지음
서의윤 옮김

1. 이 책은 Alexandra Kollontai(1972), Selected articles and speeches, Progress publishers, marxists.org의 Kollontai Archive, Lenin's Collected Works(1965), Volume 32, Progress Publishers, Moscow에서 편역한 것이다.

2. 1908년에 쓴 「여성 문제의 사회적 기초」는 1909년 1월 나온 소책자로, 서문과 본문으로 나누었고 요약 번역을 했다.

3. 「1913년 2월, 여성의 날」은 1913년 2월 7일 《프라우다》에 실은 글이다.

4. 『세계 여성의 날』은 1920년에 나온 소책자다.

5. 레닌이 쓴 『세계 여성의 날』은 1921년 3월 8일 여성의 날을 기념해서 레닌이 《프라우다》에 기고한 글이다.

6. 이 책의 각주(1, 2, 3…과 같이 표시)는 저자의 주석이며 미주(1), 2), 3)…과 같이 표시)는 원서의 편집자 주석이다.

차례

1909년 여성 문제의 사회적 기초 서문

1909년 여성 문제의 사회적 기초 서문[1)]

러시아의 여성 운동은 역사상 가장 중요한 순간을 지나고 있다. 1908년 12월에 여성 조직들이 몇 년간 수행해온 창의적인 활동을 돌아볼 것이고 전러시아여성대회에서는 여성의 해방을 위한 앞으로의 투쟁에서 페미니스트들이 수행할 '행동 방침'을 결정할 것이다.[2)] 최근까지 추상적인 '가시밭길' 사안들이었던 복잡한 사회 정치적인 문제들이 러시아에서 일어난 일들의 결과로, 이제는 활발하고 실질적인 참여와 해결을 요구하는 시급한 문제들이 되었다. 여기에 소위 '말하는 여성' 문제가 들어 있다. 매일 점점 더 많은 여성이 3가지의 난감한 질문에 대한 대답을 찾고 있다. 우리는 어떤 길로 가야 하나? 우리는 무엇을 해야 하나? 우리는 고국의 새로운 정치 구조를 위한 고통스러웠던 투쟁의 성과를 러시아 인구 중 여성들 역시 누리게 될 것이라고 어떻게 확신할 수 있을까?

러시아 여성상호부조회 내 여성의 투표권 분과와 여성평등공동행동은[3] 이 3가지 질문에 대해 종합적으로 대답하기 위하여 전러시아여성대회[4]를 소집하기로 결의했다.

개최를 앞둔 여성대회의 프로그램은 상당히 광범위하다. 처음은 러시아의 다양한 직종 내 여성들의 활동을 평가한다. 다음으로 여성들의 경제적 지위를 검토한 후 상업과 산업 분야 및 가사 서비스에서의 직업 상황을 조사하며 여성 노동에 대한 보호의 문제 등을 다룬다. 가족과 결혼, 성매매와 관련된 문제들을 논의하기 위한 장도 따로 마련해두었다. 그리고 여성이 현재 처해 있는 시민적·정치적 지위를 다루면서 이 분야에서 여성의 평등을 위한 투쟁의 방법들을 살펴볼 것이다. 마지막으로 여성의 교육과 관련된 문제들을 검토한다.

전러시아여성대회의 광범위한 이 프로그램들은, 특히 1907년 잡지 《여성공동행동(Soyuz zhenshchin)》 3호에 실렸던 프로그램 개요와 비교해보면 환영하지 않을 수 없다. 이 프로그램 개요에서는 여성 노동의 법적인 보호와 관련하여 여성의 경제적 지위 같은 중요한 문제가 완전히 누락되어 있었다. 이는 그저 실수, 단순한 우연인가? 당시를 반영하는 전형적인 실수라 할 수 있다. 여성 문제의 경제적인 측면에 관해, 여성 노동자가 처한 상황과 여성 노동의 보호에 관해 잊었다는 것이 우연이라면, 개요에 따라 열렸을 여성대회의 성격에 직접적인 영향을 끼치고 여성 인구 중 노동자 부문의 사람들, 즉 여성 문제가 오늘날 전반적인 노동 쟁점들과 밀접하고 긴밀하게 연결된 이들의 참여를 불가능하고 무의미하게 만들었을 것이다. 이제 이 실수는 바로잡혔다. 대회는 온전히 여성의 노동 문제와 여성들의 경제적 지위만을 다루게 될 것이다. 그러므로 그것이 우리 부르주아 '참정권자들'의 전형이 아니라 실수에 불과하다면 그 사소한 실수에 대해 잠시 언급을 하고 넘어가는 게 좋을 것이다.

여성대회의 조직자들은 부르주아 페미니스트들이 전형적으로 가지고 있는 신중한 태도를 보이면서 오랫동안 망설였다. 이 대회의 성격은 어때야 하는가? 우리는 프로그램 개요에서 여성들의 경제적 지위를 다루는 부분을 빠뜨린 것이 바로 이 망설임과 밀접한 관련이 있다고 생각한다. 다가올 여성대회를 위해 논의하는 회의에서, 페미니스트계의 상당히 영향력 있는 인물들이 그 대회는 '선전 활동'에 개입해서는 안 되며 알코올 중독과의 싸움 등 구체적인 사안에 집중해야 한다고 주장했다. 그래서 최근까지만 해도 여성대회의 조직자들은 그 대회가 도덕적이고 자선적인 활동에 관계된 자비로운 '귀부인들'의 회의라는 성격을 띠어야 할지, 자신의 운명에 대한 여성들의 무관심을 부수고 여성 해방을 위해 싸우는 계급을 끌어들여야 할지 알지 못했다. 하지만 동등한 권리를 지지하는 더욱 분명한 생각이 있는 사람들이 힘을 쓴 결과, 두 번째 경향으로 점차 주도권이 기울었다. 다가올 여성대회에 선택된 구호는 전통적인 페미니스트 표어인 '여성만의 권리와 이익을 위한 투쟁에서 여성들이여, 단결하자'다.

여성대회는 페미니스트 조직들의 동력 역할을 했다. 여성계가 동요했다. 포크로브스카야(Pokrovskaya), 칼마노비치(Kalmanovich), 키나(Shchepkina), 바크티나(Vakhtina) 등의 페미니스트들은 차례로 강연을 열어 연설했고 그 내용을 요약하자면 역시 표어였다. '모든 계급의 여성들이여, 단결하라!'

이 '평화로운' 구호가 아무리 매력적으로 들리고 부르주아 여성의 '가난한 어린 누이', 즉 여성 노동자에게 아무리 많은 약속을 하는 듯 보일지라도, 페미니스트들이 그토록 좋아하는 바로 이 구호 때문에 우리는 잠시 휴지기를 가지면서 다가올 여성대회의 세부 내용을 점검하고 그 목표와 염원을 노동자 계급 여성들의 이익이라는 관점에서 신중히 평가하고 있는 것이다.

구체적으로 말하면 노동자 계급의 여성들은 페미니스트들의 부름에 응하여 여성의 평등함을 쟁취하는 투쟁에 활발하게 참여할지, 전통에 충실하게 노동자 계급의 길을 가면서 사회적 삶의 억압과 종속으로부터 여성만이 아니라 모든 인류를 위해 다른 방도를 취해야 할지가 문제였다.

하지만 이 문제에 답하기 전에, 내가 앞으로 제시하고자 하는 논지의 출발선이 될 기본 전제를 언급하겠다. 남성과 여성의 우월성에 대한 문제를 논의하는 것, 남성과 여성의 뇌의 무게를 달고 심리학적 구조를 비교하는 것은 부르주아 학자들이나 몰두할 일이고, 역사적 유물론의 지지자들은 각 성이 가진 본래의 특성을 온전히 받아들인다. 남성이든 여성이든 고유한 개인으로서 가장 온전하고 자유로운 자기 결정권을 가져야 한다. 가장 넓은 범위에서 타고난 모든 성향을 계발하고 적용할 기회를 가져야 한다고 주장한다. 역사적 유물론의 지지자들은 우리 시대의 일반적인 사회 문제와 분리된 어떤 특별한 여성 문제가 존재한다는 점을 받아들이지 않는다. 그러나 여성의 종속 그 이면에 특정한 경제적 요소들이 있다. 이 과정에서 생물학적 특정들은 부차적인 요소였다. 경제적 요소들이 완전히 사라지는 것, 즉 과

거 어느 시점에 여성에 대한 지배를 가져온 그 힘들을 변화시키는 것만이 비로소 여성들의 사회적 지위에 근본적인 영향과 변화를 줄 수 있다. 즉 여성들은 새로운 사회적 생산 노선들을 따라 조직되는 세계에서만 진정으로 자유롭고 평등할 수 있다.

하지만 이것이 현대 체제의 틀 안에서도 부분적으로 여성의 삶이 향상될 수 있다는 사실을 부정하지는 않는다. 노동자 문제에 대한 급진적인 해법은 기존의 생산관계가 완전히 재구축될 때만 가능하다. 하지만 프롤레타리아 계급의 가장 시급한 관심사를 충족시킬 수 있는 개혁을 위해 일하지 말아야 할 이유는 없다. 오히려 노동자 계급이 새롭게 쟁취해나가는 것은 모두 자유와 사회적 평등의 세계로 인류를 이끄는 한 걸음을 의미한다. 여성이 개별적인 권리를 쟁취할 때마다 온전한 해방이라는 명확한 목표에 더욱더 가깝게 다가가게 된다.

덧붙이자면 여성 해방의 문제에 대해 논의할 때는 다른 사회 정치적인 문제와 마찬가지로 실재하는 기존의 관계들을 명확한 기반으로 삼아야 한다. 그 외 '도덕적 염원'이나 기타 이념적 구조의 영역에 속하는 모든 것은 부르주아 자유주의의 손에 기꺼이 맡길 요량이다. 우리에게 있어서 여성 해방이란 꿈이 아니고 원칙도 아니며 구체적으로 다가오는 현실이다. 점차 현대의 경제 관계들과 생산력 향상의 이후 방침은 수년간의 억압과 속박으로부터 여성이 해방되는 데 일조하고 있으며 앞으로도 그럴 것이다.

생산의 모든 측면에서 여성들은 이제 남성들과 나란히 일하고 있다. 영국, 프랑스, 독일, 이탈리아, 오스트리아에서 제조업에 고용되어 있는 8,100만 명 중 2,700만 명이 여성이다.[1] 다음 페이지 표는 문명화된 나라들에서 독립적인 생활을 영위하는 여성의 수와 전체 여성 인구에서 차지하는 비율을 보여준다. 가장 최근 국가 인구를 조사한 바로는 스스로 벌어서 생활을 영위하는 남성과 여성 인구의 비율은 다음과 같다.[2]

---

1 Cf. T. Schlesinger-Eckstein, Women at the Begirning of the 20th Century, p. 38. (in Russian). 이 서문에 표시된 주석은 모두 콜론타이의 것이다.

2 Cf. Prof. Y. Pirstorf, Womens Labour and the Womens Question, St Peteiaburg, (1902) p. 27. (in Russian).

나라	여성	남성
오스트리아	47%	63%
이탈리아	40%	66%
스위스	29%	61%
프랑스	27%	58%
영국과 아일랜드	27%	62%
벨기에	26%	60%
독일	25%	61%
미국	13%	59%
러시아	10%	43%

이 비례치를 절대 수치로 바꿔보면 러시아에서 스스로 벌이를 책임지는 여성의 수는 다른 나라들에 비해 낮기는 해도 꽤 크다는 것을 알 수 있다. 지난 인구 조사에서 러시아 여성 인구 6,300만 명 중에 도시에서는 800만 명 중 200만 명(25%)이 스스로 생계를 꾸리고 있었다. 교외 지역에서는 총 5,500만 명의 여성 중 400만 명이 독립적으로 생활하고 있다. 러시아의 유급 고용 노동자 전체 인구(스스로 생계를 꾸리는 사람들)를 고려해본다면, 3,300만 명의 유급 고용자 중 2,700만 명이 남성이고 600만 명이 여성이다.

러시아에서는 여성의 노동이 특히 섬유 산업에 널리 퍼져 있다. 그래서 섬유 산업의 모든 분야에서 여성 노동자가 남성을 앞지르고 있다.[3] 섬유 산업 외에도 러시아의 여성 산업 노동은 널리 쓰이고 있다. 예를 들어 식품 가공, 특히 제빵 등의 산업 분야에서는 4,391명의 여성과 8,868명의 남성이 종사하고 화학 산업, 특히 화장품 분야에서는 4,074명의 여성과 4,508명의 남성이 근무하며 유리 산업에서 약 5,000명의 여성, 도자기 산업에서 약 4,000명의 여성, 타일과 벽돌 분야에 약 6,000명의 여성이 일하고 있다. 제철 산업에서만 여성 노동자의 수가 적다.

위에 인용한 수치는 러시아의 산업에서 여성의 노동이 널리 퍼져 있음을 보여주기에 충분하다. 게다가 러시아는 비교적 최근에서야 대규모 자본주의 생산을 도입하였고 자본주의 경제 영역이 확장됨에 따라 훨씬 더 많은 수의 여성 노동자들이 투입될 것이라는 점을 기억해야 한다.

지금도 대규모 자본주의 기업들이 있는 러시아의 대도시들에서 여성 예비 인력을 고려한다면 여성의 노동, 특히 여성 프롤레타리아 노동이 전체 노동력의 꽤 상당한 비중을 차지하고 있음을 알 수 있다. 예를 들어 1900년의 인구 조사

---

3 Statistical Handbook, Iss.ie III' 1908 (in Russian).

수치를 보면 상트페테르부르크에서 스스로 생계를 책임지는 남성 100명마다 여성의 수는 40명이다.[4]

여성들은 프롤레타리아 노동을 통해 생계를 꾸리는 사람들이 가장 많다. 26만 9,000명의 남성 노동자당 여성 노동자의 수는 7만 4,000명이다. 4만 명의 '미혼' 남성 인구당 '미혼' 여성의 수는 3만 명이다. 이 '미혼' 여성들이란 누구인가? 이들은 자연스럽게 재봉사, 뜨개질하는 사람, 꽃 파는 사람 등 영세한 수작업 노동자라는 가장 착취당하는 부문을 차지한다. 자본주의 중산층을 위해 가내에서 소위 독립 노동자로 일하며 서로에게 고립된 결과, 자본에 가장 혹독하게 예속되어 있다. 전문직에 종사하는 여성들은 남성 7만 4,000명당 1만 3,000명의 여성으로 훨씬 더 적다. '소유주'로 분류되는 사람들은 남성 3만 1,000명당 여성의 수가 단지 1만 3,000명밖에 되지 않는다.

외국의 다양한 사회 계급 내 여성의 노동의 비율 및 스스

---

4 1881년, 상트페테르부르크는 남자 100명당 자력으로 살아가는 27명의 여성이 있었다. 1890년에는 34명으로 늘었다. 1900년이 되면 40명까지 올라갈 것이다.
Levikson-Lessing, On the Employment % of Women in St Petersburg According to the Censuses of 18RJ, Í890 and (1900), pp. 141~147. (in Russian).

로 생계를 꾸리는 남성과 여성 산업 노동자의 지위는 다음 표와 같다.

나라	연도 및 인구	총 인구		산업 인구		산업 노동자	
		남	녀	남	녀	남	녀
		단위: 백만					
오스트리아	1890	11.7	12.2	7.8	6.2	4.4	5.3
독일	1895	25.4	26.4	15.5	6.6	9.3	5.3
프랑스	1891	18.9	19.2	11.1	5.2	5.0	3.6
영국과 웨일스	1891	14.1	14.9	8.9	4.0	5.4	3.1
미국	1890	32.1	30.6	18.8	3.9	8.7	2.9
총합	-	102.2	103.3	62.1	25.9	32.8	20.2

표에서 확인할 수 있듯이 오스트리아에서는 남성 440만 명당 여성이 500만 명 이상이다. 여성 노동자의 수가 남성 노동자 수를 넘어선 것이다. 독일에서는 여성 노동자의 수가 남성의 절반 이상을 차지한다. 프랑스와 영국도 마찬가지다. 이 상관관계는 미국에서만 여성에게 덜 호의적이다.

여성의 노동 증가는 국가 생산에서 여성의 역할이 커졌다는 것을 자연스럽게 의미한다. 이미 여성은 전 세계 시장에 팔리는 물품의 세계 총생산 중 3분의 1을 맡고 있다. 이렇듯 여성의 노동이 지속 성장함으로 인해 많은 부르주아 경제학자들은 두려움에 휩싸였다. 그들은 여성을 노동 분야에서 남성의 위험한 경쟁자로 간주하여 여성의 노동 팽창에 적대적으로 반응한다. 그런 태도가 합리적인가? 여성은 그저 항상 남성의 '위협적인' 경쟁자인 뿐인가?

여성 노동자의 수는 점점 증가하고 있지만, 계속되는 생산력의 발달은 더 많은 노동력을 요구한다. 기술 혁명이 어느 정도 진척되어야만 새로운 노동자에 대한 수요가 줄어들거나 여성이 남성을, 아이들과 청소년이 여성을 대체하는 식으로 노동자의 한 부문이 다른 부문을 대신하게 될 것이다. 하지만 기술 발달의 각 단계는 결국 생산 비율을 증가시킨다. 이렇듯 생산이 다시 급증하면 필연적으로 모든 부문의 노동자를 새로이 찾을 것이다. 그러므로 일시적인 하락이나 때로 급격한 변동이 있다 하더라도 세계 생산력이 불어남과 함께 산업에 투입되는 노동자의 수도 결국 증가하게 된다. 노동자의 두 부문, 즉 남성과 여성 노동자들의 수가 둘 다 절대적으로 증가하며, 여성의 노동은 남성 노동과 비교하면 상대적으로 급격히 증가하는 것뿐이다.

종합적으로 살펴보면, 현재 노동 시장에서 일어나고 있는 것은 남성 노동이 여성의 노동으로 대체되는 것이 아니라 양쪽 부문에서 노동력이 직업에 따라 나누어지고 있는 것이다. 어떤 직종과 산업 분야에서는 점점 더 많은 여성을 고용하고 있고(가사 서비스, 섬유 산업, 의류 산업 등) 또 다른 분야는 주로 남성 노동에 의존한다(광업, 철강업, 기계 산업 등). 또한 분명한 것은 아동 노동의 감소로, 여성 노동의 양적 성장도 일어나고 있다는 점이다. 이는 환영할 만한 일이다. 어린이들을 보호하고 어린이들이 산업 노동에 고용될 수 있는 나이를 상향 조정하는 새로운 법안들이 생기고 노동력이 재분류되면 의심할 여지없이 여성 노동자 수가 증가한다.

그러므로 여성이 남성 노동에 위협이 되는 경쟁자라는 말은 수많은 조건이 붙을 때에만 받아들여질 수 있다. 직종 안에 존재하는 경쟁 문제는 차치하고, 프롤레타리아적인 맥락에서는 여성 노동자가 프롤레타리아 투쟁에 합류하지 않고 고립되어 있을 때만 남성의 경쟁자가 된다는 것을 분명히 해둘 것이다. 여성 노동자가 자신의 계급과 직업적 운동에 참여하지 않을 때만, 여성 노동자가 남성 노동자의 임금을 낮추고 남성 노동자가 자본에 맞서 조직된 투쟁을 하면서 얻은 결실을 무자비하게 파괴하는 '위협적인' 경쟁자가 된다. 그러나 굶주린 시골뜨기든 직장에서 밀려난 '구세대'든 평생에 직장을 얻지 못한 노동자든 간에 조직화되지 않은 모든 프롤레타리아는 서로 이미 경쟁자가 아닌가?

여성 노동자가 노동 조건에 해로운 영향력을 끼치는 것은 그들이 아직 노동자 계급에서 조직화가 덜 된 부문이기 때문이다. 자본은 손쉽게 여성 노동자를 이용하여 노동자 계급의 단결된 부문에 대항하게 한다. 하지만 여성 노동자가 노동자 계급을 위해 싸우는 조직된 투사의 일원이 되는 순간, 여성 노동자가 남성 노동자의 가장 큰 경쟁자라는 문구의 절대성을 잃게 된다. 어떤 성(性)이든 조직화된 프롤레타리아 계급은 같은 계급의 동지를 해할 수 없게 되기 때문이다.

이러한 전제 조건들을 주지한 상태로 몇몇 통계적인 예시들을 훑어보면서, 앞서 나왔던 질문들에 대한 대답을 찾아갈 것이다. 여성의 노동 상황, 여성의 노동력 향상과 국가 경제에 주는 의미에 관해 더 잘 알고 싶은 사람들은 이 주제에 관해 작성된 특별한 저작들을 보기 바란다. 여성 해방을 향한 열망과 사회의 경제적 발전에서 볼 수 있는 경향 사이에 명백히 존재하는 밀접한 관계를 강조하고자 한다. 이러한 경향들을 주지해야만 여성의 온전하고 총체적인 해방을 달성하려면 필요한 게 무엇인지를 잘 이해하는 여성이 갈 길을 더 쉽게 발견할 수 있다.

훼손된 여성의 권리와 이익을 수호하고자 하는 여성들이 해야 하는 것은 무엇인가의 질문에 대답할 때, 부르주아 관념론자들은 이렇게 말한다. “남성 억압자와 맞선 투쟁에서 사회적 약자들이 서로 단결하고 조직하고 함께하자."

하지만 이것은 바라는 결과를 가져오지 못했다. 최근 몇 년간 우리는 페미니스트 단체들이 하나둘씩 생겨나는 것을 보아왔다. 러시아의 페미니즘은 우리가 전통적으로 알고 있던 페미니즘을 포함하여 명백하게 새로운 현상이다. 첫 페미니스트 잡지인 《여성 문제(Zhenskoye dyelo)》가 1899년 출간되었다.[5] 수년간 러시아 여성들의 해방에 대한 바람은 고작 동등한 교육의 기회에 대한 호소에 그쳤다. 여성 문제가 러시아에 처음 제기되었던 1860년대부터 현재까지 여성 운동은 여성의 교육 수준, 주로 고등 교육 수준을 확장하고자 하는 투쟁의 역사에 지나지 않았다. 이 영역에서 승리를 거둔 부르주아 계급의 여성들은 자연히 자신들의 경제적 독립에 기반이 되는 여성의 직무 노동 영역을 확대하는 원칙적 방법도 마찬가지라고 보았다.

농노제 폐지와 함께 러시아의 경제 관계들과 사회관계들이 모두 급격하게 변하고[5)] 인구의 많은 부분이 생존 수단을

---

5 1898년부터 발행된 『여성 연감(Zhensky kalendar)』이 매년 발행되고 있었다. 잡지 《여성 문제(Zhenskoye dyelo)》는 2년간 이어지다 1904년 페미니스트 잡지인 《여성 헤럴드(Zhensky vestnik)》로 대체되었다. 이 잡지는 다시 《여성공동행동(Soyuz zhenshchin)》으로 바뀌었다.

찾아야 하는 상황이 되면서, 여성 문제 역시 대두되었다. 개혁 이후의 체제는 전문적인 남성 노동자들을 노동 시장에 내던졌을 뿐만 아니라 지금까지는 알려지지 않았던 부류의 여성들 역시 일용할 양식을 벌기 위해 일거리를 찾아다니게 했다. 전통적인 여성의 구호였던 '일할 자유'는 러시아 여성들에게 넘어오면서 교육받을 자유를 요구하는 것으로 바뀌었다. 교육이 없으면 직업 고용으로 가는 모든 기회가 닫힌 채로 남게 되기 때문이다. 고등 교육을 마친 여성들은 자연스럽게 정부나 민간 고용에 포함될 수 있는 자유를 요구했고, 민간 기업체와 정부 기관들이 더 값싸고 더 순종적인 노동력을 고용할 때의 장점을 깨닫기 시작하면서 순전히 경제적 이유로 이들의 요청을 받아들였다.

여성 전문 노동 영역은 점차 넓어졌지만 여성은 여전히 '교육과 직업 선택의 자유'를 요구하고 있다. 남성조차 정치적 권력에서 배제되어 있었던 당시에 여성의 정치적 평등 문제는 나올 수가 없었다. 여성의 시민권 면에서는 러시아 여성들의 지위는 서유럽 여성들의 지위에 비해 꽤 괜찮은 편이었고[6], 그래서 페미니스트 운동이 가질 수 있는 분명한 여지

6 러시아 법안에 따르면 여성은 성년이 되자마자 법적으로 온전한 자격을

가 거의 없었다.

지금 논의하고 있는 여성 운동이 본질적으로 명백한 부르주아 운동이었음을 말할 필요가 없다. 오직 아주 좁은 범위의 여성들, 주로 귀족 출신의 여성들과 라즈노친치(raznochintsy), 즉 새로운 중간 계급의 몇몇 대표자들만이 참여하는 것이었다.[5] 러시아에서 여성 평등을 주장하는 대표 투사들이 제시한 요구들에는 어떤 사회적인 이상도 들어있지 않았다. 매년 러시아 산업이 수천 명의 프롤레타리아 여성들을 더 고용하고 있었던 것이 분명했지만, 속박에서 벗어나고 교육받은 여성과 손에 못이 박힌 여성 노동자 사이의 간극은 채워질 수 없었던 듯하며 이들 사이에 어떤 식의 접촉도 불가능했던 것 같다.

이 상반되는 두 사회적 진영의 여성들은 자선 활동을 통해서만 접촉할 수 있었다. 실로 여전히 여성 단체들이 자립하지 못한 다른 곳과 마찬가지로, 러시아에서 역시 여성 운

인정받았다. 즉 스스로 시민적 행동을 수행할 수 있고 심지어 친인척 간이 아니어도 후견인이 될 수 있었으며 증인의 자격이 있었다. 법이 혼인 관계에 있는 양측의 독립적인 재산권을 인정했기 때문에 여성은 결혼한 후에도 자신의 재산을 처분할 수 있었다. 상속의 문제에서만 여성은 남성보다 법적으로 차별을 받아서 직계 자녀 중 딸은 부동산의 14분의 1과 동산의 7분의 1만을 물려받을 수 있지만 방계에서 여성의 권리는 그보다 더 적었다.

동 초기부터 자선 활동이 전면에 나와 있었다[7]. 러시아의 거의 모든 여성 단체들이 지난 몇 년간 기본적으로 그런 성격이었다. 여성들이 조직을 만들고 여성들의 단체를 설립하는 목적은 여성들의 권리 영역에서 개혁을 이루려는 게 아니라 개인적인 차원의 자선이었다. 이 분야에서 가장 큰 단체인 여성고등교육모성지원회부터 여성상호부조회가 설립한 첫 여성 클럽까지, 그러한 단체들 모두가 그 이름에서도 알 수 있듯이 박애주의적 목적을 추구했다.

러시아 여성들이 사회적이고 정치적인 사안들에 무관심하다는 말을 하려는 것이 아니다. 다른 어떤 나라에 그렇게 조국의 사회적 정의라는 이상과 정치적 해방을 위한 투쟁에 힘과 젊음과 목숨을 바친 진정으로 고귀하고 매력적인 '이름 없는 여성 영웅들'이 있을 것인가? 1870년대, 대중에게 섞여들고 자기가 속한 계급이 그들에게 진 빚을 최소한 일부나마 갚기 위해 화려한 옷가지뿐 아니라 '귀족 태생'이 주는 특혜마저도 버렸던 '회개한 숙녀들'이 가지고 있었던 내면의 아름다움에 비할 것이 역사에 있었던가? 그리고 이후,

7 Cf. the chapter 'Women's Societies and Their Objectives, in the booK The Women's Movement by Kechedzhi-Shapovalova (in Russian).

탄압의 결과로 모든 저항이 구세계의 질서에 맞선 고된 투쟁이 되었을 때, 러시아 여성들 가운데서 무수히 많은 여성 영웅들이 등장하여 그 사심 없음과 내면의 강인함과 대중에 대한 무한한 헌신으로 세계를 놀라게 하지 않았던가? 점잖고 내면의 아름다움을 갖춘 '회개한 숙녀들'의 뒤를 이어 두려움을 모르는 라즈노친치카(신 중산 계급 사람), 그리고 노동 계급의 해방을 위해 싸웠던 '여성 노동자 열사'의 끝없는 물결이 뒤를 이었다. 사회 정의라는 이상을 위해 싸웠던 여성 열사의 목록에는 지금도 새로운 이름이 올라오고 있다. 미래의 역사가들은 이 시대에 대해 적으면서 이 여성 투사들과 여성 열사들의 고귀한 사례들 앞에 고개를 숙일 수밖에 없을 것이다.

하지만 여기서 중심 사안은 이것이 아니다. 여기서 우리는 '여성 해방'이라는 것을 위해 투쟁하고 있는 여성들에 대해 논의하고 있다. 이 특정한 분야에서 우리의 페미니스트 첫 세대가 가졌던 목표와 염원은 극도로 좁고 제한되어 있었다. 최근까지도 자선과 교육이 여성 단체들 활동의 거의 전부였다. 1905년을 목표로 세워진 첫 여성대회조차 그 목

표가 두 영역으로 제한되어 있었다.[8]

상황은 1월의 기념비적인 사건을 중심으로 급격히 변한다. 인구의 모든 부문을 휩쓸었던 혁명적인 고양은 지금까지 적당한 선을 유지했던 페미니스트들에게 영향을 끼쳤다. 여성 단체들은 더욱 능동적이었고 고취되었다. 연설과 급진적인 요구들이 터져 나왔다. 선언과 결의안, 탄원들이 시골과 도시의 위원회로, 급진적인 여러 단체에게로 보내졌다. 그 뒤를 이어 일련의 회의가 열려서 결정적인 정치적 결의안들을 채택했다. 1905년, 러시아의 모든 곳에서 여성들이 어떤 식으로든 목소리를 내고 사회에 자신들의 존재를 알리고 자신들 역시 새로운 시민권을 받겠다고 요구했다. 최근까지도 선을 넘지 않는 요구에 그쳤던 페미니스트들은 러시아의 재건과 새로운 국가 체제의 설립이 여성 해방의 필수적인 전제 조건이라는 사실을 알게 되었다.

여성 운동은 이전의 온화한 노선을 버리고 사회적 행동이라는 새로운 길을 채택하고 있다. 이는 물론 갈등 없이 일어

---

8 1차 러시아 여성대회가 다뤄야 하는 임무에는 자선과 교육이 있다. 러시아 여성들은 이 두 영역 모두에서 오랫동안 활발히 활동해, 둘에 관해서 언급할 수 있다.
《젠스키 베스트닉》, No. 1, 1905.

나지 않았다. 여성 단체에 쏟아져 들어왔던 새로운 얼굴들 가운데 2개의 경향이 뚜렷이 구분되었다. 좌파에 가까웠던 사람들은 여성 운동의 정치적 신조를 명확하게 정의하고 여성의 정치적 평등을 위한 투쟁에 우선순위를 주자고 주장했다. 반면에 우파에 가까웠던 사람들은 기존의 전통, 즉 자신들의 좁은 페미니스트 염원에 '정치'를 끌어들이지 않기를 원하는 쪽에 남았다.

1905년 4월, 더욱 좌파적인 요소들이 분명한 정치적 플랫폼을 채택한 러시아의 첫 여성 단체인 여성평등공동행동이 조직되었다. 한편 우파들은 계속해서 여성상호부조회와 여성 헤럴드(젠스키 베스트닉Zhensky vestnik)을 중심으로 뭉쳐서 정치적으로 중립적인 페미니즘을 추구했다. 여성평등공동행동은 러시아 전역에 걸쳐 넓은 조직망을 건설했고 불과 1년 뒤인 1906년 5월에 그 지부가 추정한 인원이 약 8,000명에 달했다.[9] 여성평등공동행동은 분명치 않은 구호들을 바탕으로 모든 사회 계급의 여성을 한데 모으고자 했다. 초기에 입헌민주당원(Cadet)이 대중 전체의 이름으로 발언했던 것처럼, 여성평등공동행동 역시 모든 러시아 여성의 필요에

9 Cf. Female Equality, Reports and Minutes, (1906), (in Russian).

대해 목소리를 내고 있다고 단언했다.

하지만 계급적 자기의식이 계속 성장하고 다양한 사회 계층 간의 필연적인 차별화가 이어지자 여성들의 사회단체들 내에서도 재분류가 이뤄졌다. 노동조합연합(Union of Unions)[7]의 전성기에 특정한 목표들을 달성했던 정치적 블록은 특히 참정권자들이 자각의 결과로 특정한 정당들과 연합함에 따라 점점 더 불만족스러워졌다. 그래서 1906년, 봄이 되자 여성평등공동행동의 상트페테르부르크 지부는 두 분파로 갈라졌다. '좌파' 페미니스트들은 정치적 신념에 따라 혁명적 정당들과 손을 잡았다. '우파'들은 평화혁신당(Party of Peaceful Renovation)[8]과 비슷한 기조를 가졌으나 영향력 없는 규모의 여성진보당(Women's Progressive Party)[10]을 설립했다. 이 여성 단체들은 둘 다 정치적 클럽을 설립함으로써 활동의 시작을 알렸다. 좌파 클럽은 어느 정도 민주적인 성격이었으나[11], 우파 클럽은 여전히 그 부르주아적인 본

---

10 이 정당은 여성 의사인 M. I. Pokrovskaya를 편집인으로 하는《여성 헤럴드》를 발행했다.

11 여성정치클럽의 뚜렷한 성격은 민주주의를 따랐다. 그래서 모든 회의가 참가를 원하는 모두에게 개방되어 있었고 입장료는 최저 수준이었다. 또한 25명으로 구성된 집단들이 정당이나 직업에 따라 조직되었으며 이 집단들은 자신의 이익을 방어하기 위해 경영위원회에 대표를 보낼 수 있었다.

성을 유지한 채로 높은 가입비 등을 받고 있었다.

여성들은 하나의 보편적인 여성 단체로 통합하기 위해 열정적으로 애쓰던 사람들의 바람에도, 다양한 사회 계층의 여성들이 정치적이고 사회적으로 다양한 기치 아래 모이는 과정이 동시다발적으로 일어났다. 실제로 여성진보당은 거대한 부르주아의 요구와 필요를 대변했고 계급과 정치적 신념의 구분 없이 모든 여성이 뭉쳐야 할 필요성을 주장하면서도 사회 계층의 요구에 맞추어 자신들만의 정치 프로그램에 공을 들였다. 여성평등공동행동은 '입헌민주당원'의 야당인 자유주의 여성 대표들을 통합했고 이를 중심으로 주로 지식 계급(intelligentsia)에 속해 있던 중간 부르주아의 여성들이 모여들었다. 상트페테르부르크의 여성정치클럽은 더욱 급진적인 요소들에 대한 승인을 얻었지만 조직의 본성과 목적 면에서 분명하지 않은 정치적 블록을 형성할 가능성이 있었다.[12] 여성정치클럽 회원들은 온건한 여성

Cf. The Women's Political Club', article by M. Margtilies, in Zhensky kalendar–Woman's Almanac (1907).

12 여성정치클럽이 상트페테르부르크에서 첫 여성 산업 노동자들을 위한 정치 클럽을 조직하려고 했었다. 1906년 봄, 여성 노동자를 위한 클럽이 4군데 있었고 그중 바실레오스트로브스키(Vasilyeostrovsky)가 특히 활동적이었다. 여성 노동자 주변에서 일어나는 정치적 삶에 대한 강의와 토론을

14 З. П.
ТОВАРИЩИ РАБОЧІЕ и
ПОДДЕРЖИТЕ НАШИ

단체들과 거리를 두기는 했으나, 자신과 다른 여성 단체들이 어떤 계급의 이익을 대변할 것이며 시급한 목표가 무엇인지 규정하지 못했다. "프롤레타리아 여성이나 여성 농민들 아니면 모든 '여성 노동자들'의 이익을 수호할 것인가? 특정한 페미니스트 목적을 추구해야 하는가, 보편적인 정치 기반 위에서 활동해야 하는가?" 이런 기본 목표 사이에서 주저했던 것이 바로 여성정치클럽의 짧았던 활동 전부였다. 이 클럽이 첫 러시아연방의회(듀마)에 여성에게 투표권을 확대해달라는 청원을 놓고 논의할 때 주로 도시의 여성 노동자들이 서명했다. 여성정치클럽은 어떤 정당과 그 기조가 가장 가까운지 규정할 수가 없어서 결국 인민사회주의 분파(Trudoviks, 1917년 임시정부의 수장 케렌스키가 이끌던 그룹)에게 청원을 전달하기로 했다.

여성들이 여성 블록의 필요성을 주장할수록 실제 현실은 분명하고 반박의 여지없이 그러한 계획의 망상적 성격을 폭로하고 있었다. 남성 단체들과 마찬가지로 여성 단체들 역시 빠르고 저항할 수 없는 차별화의 과정을 겪었다. 여성들의 연합을 주장하는 사람들은 다양한 페미니스트 집단으

조직했다. 하지만 두 달도 지나지 않아 여성정치클럽은 문을 닫게 되었다.

로 조직되어 러시아 사회 전역에서 일어난 계급 의식의 필연적인 성장 후, 다양한 정도의 정치적 급진주의를 가진 다양한 페미니스트 단체들로 변모하는 것을 보고 있을 수밖에 없었다. 여성들의 정치 블록 시대는 남성들의 자유주의(liberal) 블록이 해체된 직후 막을 내렸다. 하지만 다양한 결의 페미니스트들과 참정권자들은 계속해서 여성들의 통합과 구체적인 목표를 추구하는 광범위한 여성 정당의 가능성을 부르짖었다.

하지만 기존의 정당 중에 총체적인 여성 해방에 대한 요구를 강령에 포함한 정당이 단 하나도 없었다는 데서 그 의미를 찾을 수 있을 것이다.

페미니스트들은 여성 평등의 문제를 향한 남성들의 무관심, 혹은 적개심에 맞서서 무장하고 부르주아 자유주의의 미묘한 차이 하나하나를 반영하는 데만 관심을 쏟았다. 여성 평등이라는 사안을 가장 열정적인 참정권자보다 한 발 더 앞서가고 있는 거대한 정당이 있다는 사실을 무시했다. 1848년 「공산당 선언」이 등장한 이래로 사회민주당은 항상 여성들의 이익을 수호해왔다. 오늘날 존재하는 프롤레타리아 문제 전반과 여성 문제 사이에 놓인 밀접한 관계를 처음 지적한 것이 「공산당 선언」이다. 그래서 자본주의의 시작으로 여성들이 점차 생산에 참여하고 억압과 착취에 맞선 프롤레타리아 계급이 치르는 위대한 전투에 뛰어드는 그 과정을 추적했다.

사회민주당은 여성들의 권리가 남성들의 권리와 동등해져야 한다는 요구를 처음 강령에 포함시킨 정당이었다. 언제 어디에서나 연설과 서면을 통해 사회민주당은 여성을 속박하는 제한들을 철회하라고 요구했다. 다른 정당들과 정부들이 결국 친여성적인 개혁을 수행하게 된 것도 오직 그러한 압박의 결과였다. 러시아의 사회민주당은 이론적으로 여성들을 방어할 뿐 아니라 언제 어디서나 여성의 평등이라는 원칙을 실천하고 있다.

그렇다면 무엇 때문에 우리의 참정권자들은 강력하고 노련한 정당의 보호막 아래 들어가려고 하지 않는 것일까?

우파 페미니스트들이 사회민주주의의 '극단성'에 겁을 먹었지만 러시아 헌법제정회의에서 발언하게 된 여성평등공동행동은 사회민주당의 정치적 입장이 자신들의 기호에 정확히 들어맞는다는 사실을 알아야만 한다. 하지만 여기에 함정이 있다!

아무리 '급진적'일지라도 우리의 참정권자들은 여전히 자신의 부르주아 계급의 목표를 기반으로 하고 있기 때문이다. 정치적 자유는 이제 러시아 부르주아들이 성장하고 세력을 얻는 데 필수적인 선결 조건이다. 그것이 이뤄지지 않고서는 부르주아 세력의 경제적인 복지가 사상누각이 될 것이다.

자본은 계속 성장하고 번영하기 위해서 특정한 규범과 보장이 필요하며, 이 규범들은 부르주아 대표들이 그 나라의 정부에 참여할 때만 보장될 수 있다. 자연스럽게 그다음 요구는 남성과 여성 모두에게 똑같이 중요한 정치적 자유의 획득이었다. 정치적 자유에 대한 요구는 여성들에게 삶 그 자체에서 뻗어 나온 요구다.

"직업의 자유"라는 구호는 충분하지 않았다. 자국의 정부에 직접 참여하는 것만이 여성의 경제적 상황을 개선하는 데 일조할 것을 약속해준다. 그래서 중산층 부르주아 여성들은 그토록 열정적으로 선거권을 얻기를 열망하며 현대의 관료제에 그토록 적대적이다.

하지만 우리 러시아의 페미니스트들은 외국의 페미니스트들과 마찬가지로 정치적 평등을 요구하는 것 이상으로 나아가지 않는다. 사회민주주의의 신조가 열어놓은 너른 지평선은 그들에게 낯선 것이고 이해할 수 없는 것뿐이다. 페미니스트들은 기존의 계급 사회라는 틀 안에서 평등을 추구하며 결코 이 사회의 기반을 공격하려 들지 않는다. 그들은 자신들의 특권을 위해 싸우고 결코 기존의 특권과 특혜를 넘어서려 하지 않는다.

우리는 이 문제를 이해하지 못한다고 해서 이 부르주아 여성운동의 대표들을 비난하지 않는다. 그들의 관점은 필연적으로 그들이 속한 계급적 지위에서 나온 것일 뿐이기 때문이다.

또한 우리는 온전히 부르주아적 여성 운동의 성공을 낳은 페미니스트 단체들의 중요성을 헐뜯는 것도 아니다. 그저 페미니스트 목표만을 추구하는 열정에 대해 프롤레타리아 여성들에게 주의를 요구하고자 한다. 부르주아 여성들이 자신들의 활동을 부르주아 계급 자매들의 자기 각성으로만 제한하는 한, 우리는 기꺼이 박수를 보낼 수 있다. 하지만 그들이 자신의 집단에 여성 노동자들을 끌어들이기 시작한다면 사회민주당은 잠자코 있지 않을 것이다. 누구도 프롤레타리아 세력이 이렇게 헛되이 소실되는 것을 그저 두고 볼 수만은 없다. 부르주아 '자매들'과 결합한다면 그것이 여성 노동자에게 무슨 혜택을 가져다줄 것이며, 여성 노동자들이 노동자 계급을 조직한다면 무엇을 얻을 수 있겠는가?

통합된 여성 운동은 과연 일어날 수 있는가, 특히 계급적 적대감 위에 세워진 사회에서 가능하겠는가? 여성들의 세계는 남성들의 세계와 마찬가지로 두 진영으로 나눠진다. 한 진영의 목적과 염원, 이익은 부르주아 계급의 편을 들고 다른 진영은 프롤레타리아와 긴밀히 연계되어 있다. 그들이 주장하는 해방은 여성 문제에 대한 온전한 해법을 포괄하고 있다. 두 진영이 똑같이 '여성 해방'이라는 보편적 구호를 따를지라도 목표와 관심사, 투쟁 방법은 다르다. 각 진영은 무의식적으로 그 출발점을 각각의 계급적 이해에 두고 있어서 설정한 목표와 임무에 특정한 계급적 색깔을 입힌다. 한 여성은 다른 계급의 목적을 달성하려고 자신이 속한 계급의 이익을 넘어서고 무시할 수도 있겠지만 하나의 통합된 여성 조직이 그 구성원인 사회 집단들의 모든 요구와 이익을 반영하는 것은 불가능하다. 페미니스트들의 요구가 겉보기에 아무리 급진적이라고 할지라도 페미니스트들이 현 사회의 경제 사회적인 구조를 근본적으로 바꾸려고 싸울 수 없다는 사실을 잊어서는 안 된다. 그러한 사회의 근본적인 변화 없이는 여성의 해방 역시 완결되지 못한다.

어떤 상황에서 모든 계급의 여성들이 갖는 단기적 임무가 일치할지라도, 장기간에 걸쳐서 그 운동의 방향과 사용되는 전술을 결정짓는 최종 목표는 양쪽 진영이 명백하게 다르다. 페미니스트들에 있어서 현재 자본주의 세계의 틀 안에서 남성과 동등한 권리를 획득하는 것이 '그 자체로 충분히 구체적인 목표'인 반면,[13] 프롤레타리아 여성은 현재의 동등한 권리란 단지 노동자 계급의 경제적 착취에 맞선 투쟁이 나아갈 하나의 수단일 뿐이다. 페미니스트들은 남성을 주적으로 보며, 남성들이 부당하게 모든 권리와 특혜를 쥐고서 여성들에게는 속박과 임무만 남겨놓았다고 생각한다. 페미니스트들의 승리란 이전에 남성들이 독점적으로 누렸던 특권이 '공정한 성'에게 허용될 때를 말한다. 프롤레타리아 여성들은 그와는 완전히 다른 입장이다. 그들은 남성을 적이나 억압자로 보지 않고 남성들을 오히려 일상의 고역을 나누고 더 나은 미래를 위해 함께 싸우는 동지로 생각한다. 여성과 여성의 남성 동지들은 모두 같은 사회 모순으로 착취되고 있다. 자본주의라는 똑같은 혐오스러운 굴레가 그들의

13 각 여성 집단들이 자신이 속한 사회 계층에 따라 평등의 원리를 다르게 본다. 예를 들어 러시아에서 상속법으로 더욱더 재산상의 불평등을 겪게 된 대 부르주아 여성들은 주로 여성의 이익에 반하는 이 구절들을 시민법에서 제거하는 것이 관심사였다. 부르주아 여성들에게 평등함이란 '일할 자유'에 달려 있었다. 하지만 이 둘은 모두 국가 경영에서 목소리를 낼 권리를 확보할 필요를 느낀다. 그 없이 어떤 성취나 어떤 개혁도 이뤄질 수 없다. 점차 정치적 평등을 위한 투쟁으로 옮겨가게 되었다.

의지를 억누르고 삶의 기쁨과 매력을 앗아가는 것이다. 현 체제의 몇몇 특정한 면들이 여성에게 과중되는 것은 사실이지만, 때로는 고용 노동의 조건들이 동지이자 노동자인 여성을 남성들의 경쟁자나 적대자로 만드는 것 또한 사실이다. 하지만 이렇듯 바람직하지 않은 상황의 책임이 누구에게 있는지 노동자 계급은 잘 알고 있다.

여성 노동자는 불운한 남성 동지 못지않게 입만 번지르르한 탐욕스러운 괴물을 증오한다. 이 괴물은 수백만 명의 인간의 삶을 희생하여 자라나고 희생자들의 고혈을 빠는 데만 혈안이 되어서 남녀노소 할 것 없이 똑같은 탐욕을 가지고 덤벼든다. 여성 노동자는 수천 개의 실로 동지인 남성 노동자와 연결되어 있다. 반면에 부르주아 여성의 염원은 다소 이상하고 이해할 수 없어 보인다. 그들은 고통받는 프롤레타리아 여성의 마음에 공명을 일으키지 못한다. 프롤레타리아 여성에게 착취당한 모든 인류가 갈망하는 밝은 미래도 약속하지 않는다.

페미니스트들이 여성의 단결이 필요하다고 주장하면서 어린 노동자 계급에 손을 뻗지만, 이 '감사할 줄 모르는 인간들'은 그 멀고 낯선 여성 동지들을 의심스럽게 쳐다본다. 그들은 더욱 이해할 수 있고 자신들의 마음에 더 가깝고 충실한 온전한 프롤레타리아 조직들 주변으로 모여든다.

정치적 권리, 즉 투표장에 갈 권리와 의회에 앉을 권리가 바로 부르주아 여성 운동의 진정한 목표다. 하지만 자본주의-착취 체제 전체를 내버려둔 상황에서 정치적 평등이 과연 여성 노동자를 여성으로서, 인간으로서 괴롭히고 억압하는 고통스러운 악의 구덩이에서 구해줄 수 있을까?

프롤레타리아 여성들 중 더욱더 각성한 사람들은 정치적 평등이나 법률상의 평등이 여성 문제의 모든 양상을 해결할 수 없다는 것을 알고 있다. 여성들이 강제로 노동력을 팔아야 하고 자본주의의 멍에에 매여 있는 한, 새로운 가치를 만들어내는 현재의 착취 체제가 계속되는 한, 여성들은 자유롭고 독립적인 인간, 마음이 가는 것에 따라서 남편을 선택하는 아내, 걱정 없이 자녀의 미래를 바라볼 수 있는 어머니가 될 수 없다. 프롤레타리아 여성의 궁극적인 목표는 기존의 적대적인 계급 기반 사회를 무너뜨리고 새롭고 더 나은 세계, 인간이 인간을 착취하는 것이 불가능해지는 그런 사회를 건설하는 것이다.

당연하게도 프롤레타리아 여성의 궁극적 목표가 명확하다고 해서 기존의 부르주아 질서라는 틀 안에서 해방을 성취하고자 하는 시도를 배제하지는 않는다. 하지만 자본주의 체제 그 자체로부터 나온 장애물들에 끊임없이 가로막혀왔다. 여성이 동등한 권리를 갖고 진정으로 자유로울 수 있는 것은 사회화된 노동의 세계, 즉 조화와 정의의 세계에서만 가능하다.

페미니스트들은 이것을 받아들이지 못하며 이해하려 들지도 않는다. 그들은 법 문구에 의해 평등이 공식적으로 받아들여지면 낡은 억압과 착취와 속박의 세계, 눈물과 고난의 세계 안에서 안락한 위치를 차지할 수 있으리라 믿는 것 같다. 이것은 어느 정도 사실이다. 대부분 프롤레타리아 여성은 남성과 동등한 권리란 '권리의 부재'가 동등하다는 것을 의미할 뿐이다. 하지만 부르주아 여성들에게 남성과 동등한 권리란 지금까지 부르주아 계급의 남성들만이 누려왔던, 새롭고 전례 없는 권리와 특혜로 가는 문이 열리는 것을 의미한다. 하지만 부르주아 여성이 새로운 이권과 성공을 얻어낼 때마다 기존 사회에서 그 부르주아 여성이 어린 누이들을 착취할 또 다른 무기가 될 뿐이다. 사회적으로 상반되는 두 여성 진영 간의 분리는 더욱 깊어질 것이다. 두 진영의 관심사는 더욱 충돌할 것이고 그들이 이루고자 하는 것 역시 명백하게 모순될 것이다.

이럴진대 그 보편적인 '여성 문제'라는 것이 도대체 어디에 있단 말인가? 페미니스트들이 그토록 거듭해서 말하는 통합된 여성의 목표와 염원이 어디에 있단 말인가? 냉정하게 현실을 바라보면 그러한 통합은 존재하지도, 존재할 수도 없다는 것을 알 수 있다. 페미니스트들은 급진적인 독일 페미니스트인 미나 카우어(Minna Cauer)의 말처럼 "여성 문제는 정당의 문제와 아무런 관련이 없다"면서 "여성 문제에 대한 해법은 모든 정당과 모든 여성의 참여로만 이뤄질 수 있다"고 헛되이 자신한다. 그러나 사실에서 드러나는 논리들을 살펴보면 결국 우리는 이 안락한 페미니스트들의 망상을 부정할 수밖에 없다.

여성 문제 대의의 승리는 공통된 프롤레타리아 대의의 승리에 달려 있다는 것을 모든 부르주아 여성에게 확신시키려 애쓸 필요는 없다. 하지만 부르주아 여성 중에서 '단기적 정치'라는 좁은 목표를 벗어날 수 있는 사람들, 모든 여성의 운명에 대한 더 넓은 시야를 가질 수 있는 사람들에게 호소하며 계속 주장한다. 여러분의 기조를 이해하지 못하는 우리 프롤레타리아 자매들을 부르주아 계급의 여성 운동 안으로 끌어들이려 하지 마라! 부르주아 계급의 여성들이 그토록 치장하기 좋아하는 그 관념적 어구들이라는 겉치레는 벗어버려라! 여성 노동자들은 알아서 갈 길을 가도록, 여성들의 자유와 행복을 위해 그들만의 방법으로 싸우도록 내버려두고, 부르주아 여성인 여러분은 스스로 역사에 대해 냉철한 지식을 갖추고서 여러분이 속한 계급적 권리와 이익을 수호하고 있는 자신을 바라보라! 어느 쪽 길이 더 빠르며, 어느 쪽의 방법이 더 명확하게 드러나는가?

미주

1) 『여성 문제의 사회적 기초』(1909)는 1차 전러시아여성대회 직후에 쓰인 것으로 상트페테르부르크에서 출판되었다. 콜론타이는 마르크스주의 관점으로 구체적인 분석을 하고 있다. 이 서문에서는 이 문제에 대한 전체적인 조사를 한 후, 사실을 근거로 한 상당한 분량의 자료들을 근거로 여성의 경제적 독립, 결혼 및 가족, 임산부 보호 등의 문제들에 해법을 제시한다. 콜론타이는 여성의 정치적 권리 획득 문제를 대부분 역설하고 있다.

2) 페미니즘은 부르주아 여성들의 운동으로 부르주아 국가라는 틀 안에서 여성의 동등한 권리를 추구한다. 페미니스트들은 여성이 선거권과 피선거권을 가져야 하며 상업 및 사업에 참여할 수 있는 권리를 요구했다.

3) 여성평등공동행동: 20세기 초에 러시아에서 설립된 페미니스트 단체로, 이들은 여성에게 정치적 평등과 다양한 직업군에 진출할 수 있는 권리를 요구했다. 공동행동은 1905~1907년의 1차 러시아혁명의 패배 이후 해체되었다.
러시아 여성상호부조회: 1899년에 설립된 부르주아 여성들의 단체로, 자선 문화적인 성격만을 가지고 있었다. 구성원들은 교사, 의사, 번역가 등 지식인 계층이었다. 《여성 문제(Zhenskoye dyelo)》나 《여성공동행동(Soyuz zhenshchin)》 등의 잡지를 통해 그 사상을 전파하였다.

4) 1908년 12월 10일에서 16일까지 상트페테르부르크에서 부르주아 계층이 조직했던 1차 전러시아여성대회가 열렸다.

45명의 여성 노동자들을 포함한 700명의 대표단이 참석했다. 이 대회를 조직했던 페미니스트들은 '여성 운동은 부르주아나 프롤레타리아의 것이 아닌, 단 하나의 기조로 숨 쉬는 단 하나의 운동이어야 한다'는 구호를 내세워 진행하고자 했다. 여성 노동자 대표들은 발언을 통해 프롤레타리아 여성 운동과 부르주아 여성 운동이 가지고 있는 계급적 본성의 차이를 드러냈다. 여성 노동자 대표들은 소수였으나 이 대회를 통해 여성과 아동 노동 보호, 농민 어머니들 보호를 위한 결의안 등을 채택했다. 또한 보편적이고 평등한 비밀 직접 선거권을 요구하는 결의안을 제출했다. 최고간부회는 이 결의안을 거부하고 리버럴-부르주아 기조에서 나온 다른 결의안으로 대체했다. 여성 노동자 대표단은 이에 항의하는 의미로 대회에서 물러났다.
콜론타이는 여성 노동자 대표들과 함께 준비 작업을 맡았던 조직자로서 적극 참여했다. 콜론타이는 경찰의 감시를 피해 외국으로 피신해야 했다. 그래서 여성 노동자인 V. I. 볼코바(V. I. Volkova)가 콜론타이가 준비했던 발언을 대신 읽었다.

5) 1861년, 러시아에서 행했던 농노제의 폐지를 일컫는다. 차르 정부는 러시아의 경제가 발전하고 농노에 대한 지주들의 착취로 인한 대규모 농민 행동이 늘어난 결과로 이 개혁을 도입할 수밖에 없었다. '농지 개혁'의 객관적인 결과는 레닌이 썼다시피 하나의 착취를 다른 형태의 착취로 대체한 것, 즉 농노제를 자본주의로 대체한 것뿐이었다.

6) 다양한 사회 계층 출신의 사람들이 교육을 받아서 사회적 환경이 달라진 사람들을 가리킨다. 이를테면 낮은 계급의 공무원, 소시민, 상인, 성직자, 농민 등이 자신의 지위를 바꾸었

다. 자본주의가 발달하자 라즈노친치의 수는 증가했다. 레닌은 '자유주의적이고 민주적인 부르주아의 교육받은 대표자들'이라고 묘사했다.

7) 1905년 5월, 자유주의 부르주아의 지식인들이 세운 정치 조직이다. 변호사, 작가, 물리학자, 엔지니어, 교사 등 14개의 노동조합 대표들이 모여 첫 대회를 열었다. 이들은 대회에서 헌법제정회의는 보통 선거권을 기반으로 열려야 한다고 요구하였다. 1906년 봄, 노동조합 연합의 우익들로부터 여성진보당이 결성되어 대부르주아지 여성의 요구와 요청의 대변자가 되었다. 당의 강령은 페미니스트 쪽으로 명확했다. 노동조합 연합은 그 해에 해산했다.

8) 평화혁신당은 온건한 자유주의 정당으로, 노동 문제의 합법적 '해법'과 땅이 부족한 농민들을 재정착시키는 데 관심을 두었다. 1907년, 평화혁신당은 민주개혁당(the Party of Democratic Reforms)과 통합되었다.

1909년 여성 문제의 사회적 기초

1909년 여성 문제의 사회적 기초

남성과 여성의 우월성에 대한 문제를 논의하는 것, 남성과 여성의 뇌의 무게를 달고 심리학적 구조를 비교하는 것은 부르주아 학자들이나 몰두할 일이고, 역사적 유물론의 지지자들은 각 성이 가진 본래의 특성을 온전히 받아들인다. 남성이든 여성이든 고유한 개인으로서 가장 온전하고 자유로운 자기 결정권을 가져야 한다. 가장 넓은 범위에서 타고난 모든 성향을 계발하고 적용할 기회를 가져야 한다고 주장한다. 역사적 유물론의 지지자들은 우리 시대의 일반적인 사회 문제와 분리된 어떤 특별한 여성 문제가 존재한다는 점을 받아들이지 않는다. 그러나 여성의 종속 그 이면에 특정한 경제적 요소들이 있다. 이 과정에서 생물학적 특징들은 부차적인 요소였다. 경제적 요소들이 완전히 사라지는 것, 즉 과거 어느 시점에 여성에 대한 지배를 가져온 그 힘들을 변화시키는 것만이 비로소 여성들의 사회적 지위에 근본적인 영향과 변화를 줄 수 있다. 즉 여성들은 새로운 사회적 생산 노선들을 따라 조직되는 세계에서만 진정으로 자유롭고 평등할 수 있다.

여성 해방의 문제에 대해 논의할 때는 다른 사회 정치적인 문제와 마찬가지로 실재하는 기존의 관계들을 명확한 기반으로 삼아야 한다. 그 외 '도덕적 염원'이나 기타 이념적 구조의 영역에 속하는 모든 것은 부르주아 자유주의의 손에 기꺼이 맡길 요량이다. 우리에게 여성 해방이란 꿈이 아니고 원칙도 아니며 구체적으로 다가오는 현실이다. 점차 현대의 경제 관계들과 생산력 향상의 이후 방침은 수년간의 억압과 속박으로부터 여성이 해방되는 데 일조하고 있으며 앞으로도 그럴 것이다.

사회민주당은 여성들의 권리가 남성들의 권리와 동등해져야 한다는 요구를 처음 강령에 포함시킨 정당이었다. 사회민주당은 언제 어디에서나 연설과 글을 통해 여성을 속박하는 제한들을 철폐하라고 요구했다. 다른 정당들과 정부들이 결국 친여성적인 개혁을 수행하게 된 것도 오직 그러한 압박의 결과였다. 러시아의 사회민주당은 이론적으로 여성들을 옹호할 뿐 아니라 언제 어디서나 여성의 평등이라는 원칙을 실천하고 있다.

그럼에도 우리의 '참정권자들'은 무엇 때문에 강력하고 노련한 정당의 지지를 받아들이지 않는 것일까? 그것은 아무리 '급진적'일지라도 여전히 자신들의 부르주아 계급에 충실하기 때문이다. 정치적 자유는 러시아 부르주아들이 성장하고 세력을 얻는 데 필수적인 선결 조건이었다. 그것이 이뤄지지 않고서는 부르주아 세력의 경제적인 복지가 사상누각이 될 것이었다. 정치적 자유에 대한 요구는 여성들에게 있어서 삶 그 자체에서 뻗어 나온 요구다.

'직업의 자유'라는 구호는 충분하지 않았다. 자국의 정부에 직접 참여하는 것만이 여성의 경제적 상황을 개선하는 데 일조할 것을 약속해준다. 그래서 중산층 부르주아 여성들은 그토록 열정적으로 선거권을 얻기를 열망하며 현대의 관료제에 그토록 적대적이다.

하지만 우리 러시아의 페미니스트들은 외국의 페미니스트들과 마찬가지로 정치적 평등을 요구하는 것 이상으로 나아가지 않는다. 사회민주주의의 신조가 열어놓은 너른 지평선은 그들에게 낯선 것이고 이해할 수 없는 것뿐이다. 페미니스트들은 기존의 계급 사회라는 틀 안에서 평등을 추구하며 결코 이 사회의 기반을 공격하려 들지 않는다. 그들은 자신들의 특권을 위해 싸우고 결코 기존의 특권과 특혜를 넘어서려 하지 않는다. 우리는 이 문제를 이해하지 못한다고 해서 이 부르주아 여성 운동의 대표들을 비난하지 않는다. 그들의 관점은 필연적으로 그들이 속한 계급적 지위에서 나온 것일 뿐이기 때문이다.

남성들은 여성의 적인가?

무엇보다도 우리는 계급적 모순을 기반으로 한 사회 안에서 단 하나의 통합된 여성 운동이 가능할지를 자문해야 한다. 해방 운동에 참여하는 여성들이 하나의 동질적인 여성들을 대변하지 않는다는 사실은 편견 없는 사람이라면 누구에게라도 명백하다.

여성들의 세계는 남성들의 세계와 마찬가지로 두 진영으로 나누어진다. 한 진영의 목적과 염원, 이익은 부르주아 계급의 편을 들고 다른 진영은 프롤레타리아와 긴밀히 연계되어 있다. 그들이 주장하는 해방은 여성 문제에 대한 온전한 해법을 포괄하고 있다. 두 진영이 똑같이 '여성 해방'이라는 보편적 구호를 따를지라도 목표와 관심사, 투쟁 방법은 다르다. 각 진영은 무의식적으로 그 출발점을 각각의 계급적 이해에 두고 있어서 설정한 목표와 임무에 특정한 계급적 색깔을 입힌다. 한 여성은 다른 계급의 목적을 달성하려고 자신이 속한 계급의 이익을 넘어서고 무시할 수도 있겠지만 하나의 통합된 여성 조직이 그 구성권인 사회 집단들의 모든 요구와 이익을 반영하는 것은 불가능하다. 페미니스트들의 요구가 겉보기에 아무리 급진적이라고 할지라도 페미니스트들이 현 사회의 경제 사회적인 구조를 근본적으로 바꾸려고 싸울 수 없다는 사실을 잊어서는 안 된다. 그러한 사회의 근본적인 변화 없이는 여성의 해방 역시 완결되지 못한다.

어떤 상황에서 모든 계급의 여성들이 갖는 단기적 임무가 일치할지라도, 장기간에 걸쳐서 그 운동의 방향과 사용되는 전술을 결정짓는 최종 목표는 양쪽 진영이 명백하게 다르다. 페미니스트들에 있어 현재 자본주의 세계의 틀 안에서 남성과 동등한 권리를 획득하는 것이 '그 자체로 충분히 구체적인 목표'인 반면에, 프롤레타리아 여성은 현재의 동등한 권리란 단지 노동자 계급의 경제적 착취에 맞선 투쟁이 나아갈 하나의 수단일 뿐이다. 페미니스트들은 남성을 주적으로 보며, 남성들이 부당하게 모든 권리와 특혜를 쥐고서 여성들에게는 속박과 임무만 남겨놓았다고 생각한다. 페미니스트들의 승리란 이전에 남성들이 독점적으로 누렸던 특권이 "공정한 성"에게 허용될 때를 말한다. 프롤레타리아 여성들은 그와는 완전히 다른 입장이다. 그들은 남성을 적이나 억압자로 보지 않고 남성들을 오히려 일상의 고역을 나누고 더 나은 미래를 위해 함께 싸우는 동지로 생각한다. 여성과 여성의 남성 동지들은 모두 같은 사회 모순으로 착취되고 있다. 자본주의라는 똑같은 혐오스러운 굴레가 그들의 의지를 억누르고 삶의 기쁨과 매력을 앗아가는 것이다. 현 체제의 몇몇 특정한 면들이 여성에게 과중되는 것은 사실이다. 그리고 때로는 고용 노동의 조건들이 동지이자 노동자인 여성을 남성들의 경쟁자나 적대자로 만드는 것 또한 사실이다. 하지만 이렇듯 바람직하지 않은 상황의 책임이 누구에게 있는지 노동자 계급은 잘 알고 있다.

여성 노동의 증가는 국가 생산에서 여성의 역할이 커졌다는 것을 자연스럽게 의미한다. 이미 여성은 전 세계 시장에 팔리는 물품의 세계 총생산 중 3분의 1을 맡고 있다. 이렇듯 여성 노동이 지속 성장함으로 인해 많은 부르주아 경제학자들은 두려움에 휩싸였다. 그들은 여성을 노동 분야에서 남성의 위험한 경쟁자로 간주하여 여성 노동의 팽창에 적대적으로 반응한다. 그런 태도가 합리적인가? 여성은 그저 항상 남성의 '위협적인' 경쟁자인 뿐인가?

여성 노동자의 수는 점점 증가하고 있지만, 계속되는 생산력의 발달은 더 많은 노동력을 요구한다. 기술 혁명이 어느 정도 진척되어야만 새로운 노동자에 대한 수요가 줄어들거나 여성이 남성을, 아이들과 청소년이 여성을 대체하는 식으로 노동자의 한 부문이 다른 부문을 대신하게 될 것이다. 하지만 기술 발달의 각 단계는 결국 생산 비율을 증가시킨다. 이렇듯 생산이 다시 급증하면 필연적으로 모든 부문의 노동자를 새로이 찾을 것이다. 그러므로 일시적인 하락이나 때로 급격한 변동이 있더라도 세계 생산력이 불어남과 함께 산업에 투입되는 노동자의 수도 결국 증가하게 된다. 노동자의 두 부문, 즉 남성과 소시민 노동자들의 수가 둘 다 절대적으로 증가하며, 여성 노동은 남성 노동과 비교하면 상대적으로 급격히 증가하는 것뿐이다.

종합적으로 살펴보면, 현재 노동 시장에서 일어나고 있는 것은 남성 노동이 여성 노동으로 대체되는 것이 아니라 양쪽 부문에서 노동력이 직업에 따라 나누어지고 있는 것이다. 어떤 직종과 산업 분야에서는 점점 더 많은 여성을 고용하고 있고(가사 서비스, 섬유 산업, 의류 산업 등) 또 다른 분야는 주로 남성 노동에 의존한다(광업, 철강업, 기계 산업 등). 또한 분명한 것은 아동 노동의 감소로, 여성 노동의 양적 성장도 일어나고 있다는 점이다. 이는 환영할 만한 일이다. 어린이들을 보호하고 어린이들이 산업 노동에 고용될 수 있는 나이를 상향 조정하는 새로운 법안들이 생기고 노동력이 재분류되면 의심할 여지없이 여성 노동자 수의 증가로 이어진다.

그러므로 여성이 남성 노동에 위협이 되는 경쟁자라는 말은 수많은 조건이 붙을 때라야만 받아들여질 수 있다. 직종 안에 존재하는 경쟁 문제는 차치하고, 프롤레타리아적인 맥락에서는 여성 노동자가 프롤레타리아 투쟁에 합류하지 않고 고립되어 있을 때만 남성의 경쟁자가 된다는 것을 분명히 해둘 것이다. 여성 노동자가 노동 조건에 해로운 영향력을 끼치는 것은 그들이 아직 노동자 계급에서 조직화가 덜 된 부문이기 때문이다. 자본은 손쉽게 여성 노동자를 이용하여 노동자 계급의 단결된 부문에 대항하게 한다. 하지만 여성 노동자가 노동자 계급을 위해 싸우는 조직된 투사의 일원이 되는 순간, 여성 노동자가 남성 노동자의 가장 큰 경쟁자라는 문구의 절대성을 잃게 된다. 어떤 성(性)이든 조직화된 프롤레타리아 계급은 같은 계급의 동지를 해할 수 없게 되기 때문이다.

여성 노동자는 불운한 남성 동지에 못지않게 입만 번지르

르한 탐욕스러운 괴물을 증오한다. 이 괴물은 수백만 명의 인간의 삶을 희생하여 자라나고 희생자들의 고혈을 빠는 데만 혈안이 되어서 남녀노소 할 것 없이 똑같은 탐욕을 가지고 덤벼든다. 여성 노동자는 수천 개의 실로 동지인 남성 노동자와 연결되어 있다. 반면에 부르주아 여성의 염원은 다소 이상하고 이해할 수 없어 보인다. 그들은 고통받는 프롤레타리아 여성의 마음에 공명을 일으키지 못한다. 프롤레타리아 여성에게 착취당한 모든 인류가 갈망하는 밝은 미래도 약속하지 않는다.

여성 노동자와 페미니스트

프롤레타리아 여성의 궁극적 목표가 명확하다고 해서 기존의 부르주아 질서라는 틀 안에서 해방을 성취하고자 하는 시도를 배제하지는 않는다. 하지만 자본주의 체제 그 자체로부터 나온 장애물들에 끊임없이 가로막혀왔다. 여성이 동등한 권리를 갖고 진정으로 자유로울 수 있는 것은 사회화된 노동의 세계, 즉 조화와 정의의 세계에서만 가능하다.

페미니스트들은 이것을 받아들이지 못하며 이해하려 들

지도 않는다. 그들은 법 문구에 의해 평등이 공식적으로 받아들여지면 낡은 억압과 착취와 속박의 세계, 눈물과 고난의 세계 안에서 안락한 위치를 차지할 수 있으리라 믿는 것 같다. 이것은 어느 정도 사실이다. 대부분 프롤레타리아 여성은 남성과 동등한 권리란 '권리의 부재'가 동등하다는 것을 의미할 뿐이다. 하지만 부르주아 여성들에게 남성과 동등한 권리란 지금까지 부르주아 계급의 남성들만이 누려왔던, 새롭고 전례 없는 권리와 특혜로 가는 문이 열리는 것을 의미한다. 하지만 부르주아 여성이 새로운 이권과 성공을 얻어낼 때마다 기존 사회에서 그 부르주아 여성이 어린 누이들을 착취할 또 다른 무기가 생길 뿐이다. 사회적으로 상반되는 두 여성 진영 간의 분리는 더욱 깊어질 것이다. 두 진영의 관심사는 더욱 충돌할 것이고 그들이 이루고자 하는 것 역시 명백하게 모순될 것이다.

이럴진대 그 보편적인 '여성 문제'라는 것이 도대체 어디에 있단 말인가? 페미니스트들이 그토록 거듭해서 말하는 통합된 여성의 목표와 염원이 어디에 있단 말인가? 냉정하게 현실을 바라보면 그러한 통합은 존재하지도 존재할 수도 없다는 것을 알 수 있다. 페미니스트들은 급진적인 독일 페미니스트인 미나 카우어(Minna Cauer)의 말처럼 "여성 문제는 정당의 문제와 아무런 관련이 없다"면서 "여성 문제에 대한 해법은 모든 정당과 모든 여성의 참여로만 이뤄질 수 있다"고 헛되이 자신한다. 그러나 사실에서 드러나는 논리들을 살펴보면 결국 우리는 이 안락한 페미니스트들의 망상을 부정할 수밖에 없다.

인간 역사 동안 생산 조건과 생산 형식은 여성을 종속시켜왔다. 점차 여성들을 억압하고 의존적인 위치로 격하시켰다. 지금까지 대부분 여성이 그렇게 살고 있다. 여성들이 잃어버린 자신들의 의미와 독립성을 되찾으려면 사회적이고 경제적인 구조에서 거대한 격변이 일어나야 한다. 한때 가장 뛰어난 사상가들에게조차 너무도 어려운 듯 보였던 문제들이 이제는 전능한 생산 조건에 의해 풀렸다. 발전이 다음 단계로 넘어갈 때면 수천 년간 지금까지 여성들을 착취해온 바로 그 생산 조건이 여성들을 자유와 독립의 길로 이끌 것이다.

여성 문제는 대략 19세기 중반, 부르주아 계급의 여성들에게 대두되기 시작했다. 이때는 이미 프롤레타리아 여성들이 노동 영역에 진입한 지 상당한 시간이 흐른 후였다. 자본주의의 무자비한 성공의 여파로 중간 계급들은 빈곤의 파도에 휩쓸리게 되었다. 경제적 변화 탓에 소시민과 중산층의 부르주아들은 불안정한 재정 상태를 맞았다. 부르주아 여성들은 가난을 받아들이거나 일자리를 얻는 딜레마에 빠졌다. 결국 이 사회 계층의 아내와 딸들은 대학과 살롱, 편집실, 사무실의 문을 두드리게 되었다. 부르주아 여성들이 더 높은 수준의 문화 혜택을 받고자 하는 열망은 갑작스러운 요구가 아니라 '일용할 양식'이라는 문제에서 나온 것이었다.

부르주아 여성들은 처음부터 남성들이 완고한 저항에 부딪혔다. 자신들의 '아늑하고 소소한 직장'을 고수하는 전문적인 남성들과 초보자인 여성들 사이에 일용할 양식 문제를 두고 거센 전투가 벌어졌다. 이 투쟁으로 부르주아 여성들이 함께 들고 일어서서 적들, 즉 남성들에 맞서 자신들의 힘으로 겨루려는 시도로 '페미니즘'이 등장했다. 이 여성들은 노동 영역에 진입하면서 자신을 자랑스럽게 '여성 운동의 선구자들'이라고 불렀다. 그들은 이렇게 경제적 독립을 성취하는 문제에서 어린 누이들이 물집 잡힌 손으로 일일이 딴 열매를 자신들이 가로채고 있다는 사실을 잊었다.

그런데도 페미니스트들이 여성 노동의 첫길을 닦았다고 말할 수 있겠는가? 부르주아 여성 운동이 태동하기도 전에 모든 나라에서 이미 수십만 명의 프롤레타리아 여성들이 공장과 일터로 쏟아져 들어가 산업의 각 분야를 하나씩 맡은

판국에 말이다. 여성 노동자들의 노동이 세계 시장에서 인정을 받았다는 사실 덕분에 부르주아 여성들은 페미니스트들이 그토록 자랑스러워하는 사회에서의 독립적 지위를 차지할 수 있게 되었다.

물질적 조건을 키우는 프롤레타리아 여성들의 투쟁사에서 일반적인 페미니스트 운동이 도움을 준 부분은 한 군데도 찾기 어렵다. 프롤레타리아 여성이 자신들의 삶의 기준을 올리려는 차원에서 달성한 것들은 모두 노동자 계급만이 홀로 노력한 결과다. 더 나은 노동 조건과 품위 있는 삶을 위한 노동자 여성들의 투쟁사는 바로 해방을 향한 것이다. 프롤레타리아 계급의 불만이 위험할 정도로 폭발하는 것에 대한 두려움이 없다면 무엇 때문에 공장주들이 노동력의 값을 올리고 노동 시간을 줄이고 더 나은 노동 조건을 도입하겠는가? '노동 분규'에 대한 두려움이 없다면 무엇 때문에 정부가 자본에 의한 노동력 착취를 제한하는 법을 제정하겠는가?

여성 노동자가 무슨 이유로 부르주아 페미니스트들과 연대하려 하겠는가? 실제로 그러한 동맹이 일어난다 해도 누가 이득을 볼 것인가? 여성 노동자는 분명 아니다. 여성 노동자는 스스로 자신의 구원자가 되고 그 자신의 미래는 자신의 손에 달려 있다. 여성 노동자는 자신의 계급적 이익을 지키며 '모든 여성이 공유하는 세계'에 관한 그럴듯한 말에 속지 않는다. 부르주아 여성들의 목표가 사회의 틀 안에서 자신들만의 복지를 확보하는 반면에 여성 노동자의 목표는 낡고 뒤떨어진 세계 대신에 보편적 노동, 동지적 연대, 즐거운 자유라는 밝은 사원을 건설하는 것임을 잊어서는 안 된다.

사회적 어려움이 커가는 마당에, 이 대의에 대한 신실한 투사라면 비통한 혼란에 빠지게 될 것이다. 그 투사는 일반 여성 운동이 프롤레타리아 여성을 위해 한 일이 거의 없다는 사실, 노동자 계급의 노동 조건과 생활 조건을 향상할 능력이 없다는 사실을 알아챘다. 평등을 위해 싸우지만 프롤레타리아 세계관을 받아들이지 못했거나 더욱더 완벽한 사회 체제가 올 것이라는 굳은 믿음을 가지지 못한 여성들은 인류의 미래가 침침하고 암울하며 불확실하게만 보일 것이다. 현재의 자본주의 세계는 바뀌지 않았으나, 해방은 미완이어도 공정한 것으로 보일 것이다. 절망은 더 사려 깊고 민감한 여성들을 사로잡을 것이다. 노동자 계급만이 뒤틀린 현대 사회의 관계 속에서 도덕을 유지할 수 있다. 노동자 계급은 확고하고 계획된 걸음으로 꾸준히 그 목표를 향해 전진한다. 노동자 계급은 일하는 여성들에게 노동자라는 이름을 부여한다. 프롤레타리아 여성은 노동이라는 가시밭길에서 용감히 걸어가기 시작한다. 점점 다리는 무거워져 처진다. 사방에 위험한 벼랑들이 있고 잔혹한 야수들이 코앞에서 먹잇감을 구하고 있는 험난한 길이다.

하지만 이 길을 가야만 그 여성은 노동의 신세계에서 진정한 해방을 이룬다는, 멀지만 만족할 수 있는 목표를 달성할 수 있다. 밝은 미래를 향해가는 이 어려운 여정 중에, 최근까지도 아무런 권리도 갖지 못한 채 모욕받고 짓밟힌 노예였던 프롤레타리아 여성은 자신에게 달라붙어 있던 노예근성을 버리고 차츰 독립적인 노동자, 인격, 사랑으로 점철된 자유로운 자로 거듭난다. 프롤레타리아트 계급 안에서 싸우는 이 여성이야말로 여성들이 일할 권리를 획득하는 사람이다. 바로 이 '어린 누이'야말로 미래의 '자유롭고' '동등한' 여성에 대한 기반을 닦을 수 있다.

두 갈래 길들

여성 문제의 또 다른 측면, 가족 문제로 눈을 돌려보자. 진정한 여성의 해방을 위해 이 시급하고 복잡한 문제를 해결하는 것이 얼마나 중요한가. 정치적 권리, 박사를 포함한 학위를 취득할 권리, 동등한 노동에 동등한 임금을 받을 권리를 위해 투쟁하는 것은 평등을 위한 싸움의 온전한 합이 못 된다. 진정으로 자유로운 여성이 되려면 고리타분하고 억압적인 작금의 가족 형태라는 무거운 족쇄를 벗어던져야만 한다. 여성들이 가족 문제를 해결하는 것은 정치적 평등과 경제적 독립을 성취하는 것만큼이나 중요하다.

여성은 자신의 이익을 위해 목소리를 낼 시민적 권리를 박탈당하는 대신 결혼이라는 속박을 받아들여야 한다. 또는 공적으로는 경멸받고 박해받지만 은밀하게 장려되고 지지받는 성매매 대안만을 갖게 된다. 오늘날 결혼 생활의 어두운 면과 현 가족 구조 안의 낮은 지위와 관련하여 여성들이 겪는 고통을 강조할 필요가 있을까? 이 주제에 대해서 이미 너무 많은 글과 언급이 나왔다. 문학은 결혼과 가족생활이라는 덫의 암울한 모습들로 가득하다. 그리고 얼마나 많은 심리 드라마들이 방영되고 있는가! 얼마나 많은 삶이 부서졌는가! 현대 가족 구조가 많든 적든 모든 계급과 층위의 여성들을 억압하고 있다는 사실을 언급하는 것만으로 충분할 것이다.

모든 계급의 여성들을 하나 되게 만들어줄 수 있는 그 측면을 여성 문제에서 발견한 것이 아닌가? 여성들은 억압적인 상황에 맞서 투쟁할 수 없단 말인가? 그럴 때 여성들이 함께 나누는 비탄과 고통이 계급적 적대감을 누그러뜨리고 다양한 진영의 여성들에게 공동의 염원과 행동을 제공하는 게 불가능하단 말인가? 공동의 바람과 목표를 딛고서라면 부르주아 여성과 프롤레타리아 여성 간의 협동이 가능할 수도 있지 않을까? 페미니스트들은 더 자유로운 형태의 결혼과 '모성의 권리'를 위해 투쟁하고 있다. 그들은 모두가 박해하는 인간인 매춘부의 편에 서서 목소리를 높인다. 새로운 형태의 관계를 찾고 성별 간의 '도덕적 평등'을 열정적으로 추구하는 데 페미니스트 문학이 얼마나 풍부한지 보라. 경제적 해방이 진행되던 동안, 가족 문제의 해법을 찾아 싸우며 '신여성'의 길을 닦았던 수백만 명의 강인한 프롤레타리아 여성 군단보다 부르주아 여성들이 뒤처졌음에도 그 영예는 페미니스트들에 향한 게 사실이지 않은가?

러시아는 1860년대에 노동 시장에 던져진 개별적 임금노동자 군단인 중산층 부르주아 여성들의 결혼 문제가 가진 혼란스러운 측면들을 실질적으로 해결해왔다. 이 여성들은 전통적인 교회 결혼이라는 '굳어진' 가족 양식을 자신이 속한 사회 계층의 요구를 더욱더 유연한 종류의 관계들로 용감하게 대체해오고 있다. 하지만 개별적인 여성들이 이 문제를 독자적으로 해결해나가는 것만으로는 상황을 바꿀 수 없다. 가족생활이 가지는 전반적인 암울한 상태도 나아지게 하지 않는다. 현대적인 가족 형태를 파괴하는 어떤 힘이 있다면, 그것은 분산되어 있는 여성 개인들의 어마어마한 노력이 아니다. 그것은 바로 생산력이다. 이 힘은 새로운 기반 위에 무차별적으로 삶을 불어넣고 있다.

사회의 제약과 요구에 맞서서 명령이나 속박을 받지 않고 '감히 사랑할' 권리를 주장하는 여성, 부르주아 세계에 속한 이 개별적인 여성들의 영웅적인 투쟁이야말로 가족의 속박으로 시들어가는 모든 여성에게 모범이 되어야 한다는 것. 이것이 바로 자유로운 외국의 페미니스트들 및 평등한 여성의 권리를 주장하는 국내의 진보적인 운동가들이 하는 말이다. 다시 말하면 그들이 보기에 결혼 문제는 외부적인 상황을 고려하지 않고도 해결될 거라고 여긴다. 사회의 경제적 구조 속의 변화에 끄떡없다는 것이다. 이렇듯 개별적이고 영웅적인 개인들의 노력만으로도 충분하다. 여성들이 그저 '감히' 나서기만 하면 결혼 문제는 해결된다.

하지만 덜 영웅적인 여성들은 그 말에 고개를 젓는다. "주도면밀한 작가의 축복을 받은 소설 속의 여성 영웅들, 대단

한 독립성을 갖추고 주변에 이타적인 지인들을 두었으며 비범한 매력을 지닌 그들로서는 사회의 공격을 막아내기 충분할 것이다. 하지만 자본이 없고 친구도 없으며 매력도 거의 가지지 못한 사람들은 어쩌란 말인가?" 게다가 모성 문제는 자유를 갈망하는 여성의 마음을 좀먹는다. '자유로운 사랑'이라는 게 가능한가? 우리 사회의 경제 구조를 봤을 때 자유로운 사랑이 개인의 일탈이 아닌 일반적으로 인정받는 규범, 즉 일반적인 현상이 될 수 있을까? 현재 결혼 개념에서 사유 재산이라는 요소를 무시하는 게 가능한가? 이 개인주의적인 세계에서 여성들의 이익에 해가 되지 않으면서 공식적인 혼인 계약을 무시하는 게 가능한가? 혼인 계약만이 모든 출산의 어려움을 여성 혼자서 짊어지지 않게 해주는 유일한 보장이 된다. 한때 남성 노동자들에게 일어났던 일들이 이제는 여성들에게 일어나지는 않을 것인가? 장인들의 행동을 규제하는 새로운 규칙이 설립되지 않은 상황에서 길드의 규칙을 없앴으므로 자본은 노동자에 대하여 절대적인 힘을 갖게 되었다. '노동과 자본을 위한 계약의 자유'라는 그럴듯한 구호는 자본이 노동을 무자비하게 착취하는 수단이 되었다. 오늘날의 계급 사회에서는 '자유로운 사랑'이 끊임없이 회자하고 있다. 이는 가족생활의 어려움으로부터 여성을 해방하는 대신 여성 홀로 아무런 도움 없이 자녀를 보살펴야 한다는 새로운 짐을 지어줄 것이 분명하다.

사회관계 차원의 근본적인 개혁, 가족이 지고 있는 의무를 사회와 국가로 이행하는 개혁만이 '자유로운 사랑'이라는 원칙이 어느 정도 성취되는 상황을 만들 수 있을 것이다. 하지만 현대의 계급 국가가 개인 단위, 즉 현대의 가족이 수행하고 있는 어머니와 자녀에 대한 의무를 짊어지려 할까? 그 국가가 아무리 민주적이라고 할지라도 말이다. 모든 생산관계의 근본 변화가 있어야만 '자유로운 사랑'이라는 형태의 부정적인 측면으로부터 여성들을 보호할 수 있는 사회적 필요조건을 만들 수 있다. '자유로운 사랑'이라는 이 편리한 명칭 아래 무난히 넘어가기를 바라고 있는 온갖 비행과 타락을 알지 못한단 말인가? 산업체를 소유하고 경영하면서 그곳에서 일하는 여성 노동자나 사무직 여성들에게 해고하겠다고 협박하여 자신의 성적 충동을 해결하는 남자를 생각해보라. 그들 역시 나름의 방식대로 '자유로운 사랑'을 실천하고 있는 게 아닌가? 식모들을 강간하고 그들이 임신하면 길거리로 내쫓는 그 모든 '집주인'들은 '자유로운 사랑'이라는 형태에 충실한 게 아니란 말인가?

하지만 자유 결혼 옹호자들은 이렇게 말한다. "우리는 그런 식의 '자유'에 대해 말하는 것이 아니다. 반대로 우리는 남성과 여성 모두를 같게 구속하는 '단 하나의 도덕'을 받아들이라고 주장한다. 우리는 현재의 성적 면허제에 반대하며, 진정한 사랑을 기반으로 한 자유로운 결합만을 도덕적으로 본다." 하지만 이상적인 '자유로운 결혼'이 만일 현재의 사회 조건들 안에서 실행된다면 그 결과는 성적 자유의 왜곡된 실행과 거의 다를 바가 없지 않다는 생각이 들지 않는가? 현재 여성들을 자본과 남편에게 이중으로 의존하게 하는 그 모든 물질적 부담에서 여성들이 해방되어야만 '자유로운 사랑'의 원칙은 또다시 여성들에게 새로운 비통을 안겨주지 않고서 시행될 수 있을 것이다. 여성들이 나가서 일하고 경제적 독립을 획득함에 따라, 특히 지식 계급의 고임금 여성들에게 있어서 '자유로운 사랑'은 어느 정도 그 가능성이 높다. 하지만 자본에 대한 여성의 의존은 여전히 남아 있으며, 더욱더 많은 프롤레타리아 여성들이 노동력을 팔면서 이 의존은 늘어난다. '자유로운 사랑'이라는 구호가 이 여성들, 겨우 생존만이 가능할 정도의 돈을 버는 이 여성들의 슬픈 존재를 개선해줄 수 있는가? '자유로운 사랑'은 노동자 계급 사이에서 이미 이뤄지고 있지 않은가? 널리 퍼져 있어서 부르주아들이 몇 번이고 경각심을 일깨우며 프롤레타리아들의

'비행'과 '비도덕'을 비난하는 목소리를 높여오지 않았던가? 페미니스트들은 속박에 얽매이지 않는 부르주아 여성이 결혼 제도를 벗어나서 갖는 새로운 형태 동거 형태에 열중하면서 그것을 '자유로운 사랑'이라고 부르지만 노동자 계급이 이러한 관계를 맺을 때는 '난잡한 성관계'라고 경멸스럽게 부른다는 것이다. 이것으로써 그들의 태도를 알 수 있다.

하지만 현재의 프롤레타리아 여성들에게 교회가 축복했든 안 했든 (결혼했든 안 했든) 모든 이성 관계는 결과적으로 똑같이 가혹하다. 프롤레타리아 아내와 어머니에게 가족과 결혼 문제의 쟁점은 겉으로 보기에 성스럽거나 세속적인 문제가 아니라 그 관계에 수반되는 사회적·경제적 조건들에 있다. 바로 이 조건들이 노동자 계급 여성들의 복잡한 의무들을 규정하는 것이다. 물론 노동자 계급의 여성에게도 남편이 자신의 벌이를 처분할 권리가 있는지, 원치 않을 때도 남편과 같이 살도록 법적으로 강제할 권리가 있는지, 자녀를 데려갈 수 있는지 등의 여부가 중요하다. 하지만 그러한 시민법의 구절들은 가족 내에서 여성의 지위를 결정하지 못한다. 그 구절들이 가족 문제의 혼동과 복잡함을 만든 것도 아니다. 여성들이 (개별적으로 산재해 있는 가정 경제들의 존재를 전제로 할 때) 현재 피해갈 수 없는 그 소소한 집안일들로부터 해방되고 사회가 새로운 세대들에 대한 책임을 떠안고 어머니들을 보호하고 최소한 출산 후 첫 몇 달간은 어머니와 아기가 함께 있게 해줄 때만 이 결혼 관계의 문제는 더는 고통스러운 것이 아니게 될 것이다.

페미니스트들은 법적인 혼인 계약이나 교회의 혼인 성사에 반대하며 싸우고 있다. 반면에 프롤레타리아 여성들은 현대적인 결혼과 가족 형태 이면에 있는 요소들에 대항하여 전쟁한다. 그들은 삶의 조건들을 근본적으로 변화시키기를 원하며 이는 남성과 여성 간의 관계가 변화하는 데도 도움이 되리라는 것을 알고 있다. 여기에서 가족이라는 어려운 문제에 대한 부르주아적 접근법과 프롤레타리아적인 접근법의 차이가 드러나는 것이다. 부르주아 진영에서 출발한 페미니스트와 사회 개혁론자들은 순진하게도 작금의 계급사회라는 암울한 배경을 두고서 새로운 가족 형태와 새로운 종류의 혼인 관계를 만들어낼 것이라는 믿음에서 벗어나지 못한다. 삶 그 자체에서 그러한 형태들이 아직 나타나지 않았다면 어떤 대가를 치르고서라도 그것을 생각해내야 한다고 믿는 듯하다. 그들은 현재의 사회 체제 아래에서 복잡한 가족 문제를 해결할 수 있는 현대적인 성적 관계가 있을 게 분명하다고 생각한다. 그리고 부르주아 세계의 관념론자들,

즉 언론인, 작가, 저명한 여성 해방의 투사들은 차례로 자신들의 새로운 '가족 형태', 즉 '가족 만병통치약'을 내놓는다.

그 결혼 형태들이 얼마나 유토피아적인지, 우리의 현대 가족 구조라는 암울한 현실에 비춰볼 때 그러한 진통제들은 얼마나 유약한 것인지! 이러한 '자유로운 관계'와 '자유로운 사랑'이라는 처방이 실행되기 전에 사람들 간의 모든 사회관계에 근본 개혁이 있어야 한다. 그뿐 아니라 도덕적이고 성적인 모든 규범과 인류의 심리 전체가 철저한 진화를 겪어야 한다. 현재 '자유로운 사랑'에 심리적으로 대처할 능력이 있는가? 가장 고귀한 영혼조차 갉아먹는다는 질투는 어떻게 할 것인가? 다른 사람의 몸뿐 아니라 영혼까지도 소유하고자 하는, 그토록 뿌리 깊은 소유의 개념은? 다른 사람의 개성을 제대로 존중하지 못하는 무능력은? 사랑하는 사람에게 복종하거나 사랑하는 사람을 종속시키려는 버릇은? 사랑하는 사람이 더는 나를 사랑하지 않고 떠날 때 겪는 그 쓰라리고 절망적인 감정, 버림받은 기분과 끝도 없는 외로움은? 뼛속까지 개인주의자인 사람은 외로울 때 어디서 위안을 찾을 것인가? 기쁨과 슬픔과 염원을 함께하는 공동체야말로 그 개인의 감정적이고 지적인 에너지에 대한 최상의 분출구가 될 수 있다. 하지만 현대의 인간이 상호 작용하는 영향력을 느낄 만한 방식으로 이러한 공동체와 함께 갈 수 있는가? 지금 현재 공동체의 삶이 개인의 소소한 즐거움을 진실로 대체할 능력이 있는가? 가족 문제는 삶 그 자체만큼이나 여러 측면을 가지고 있다. 우리의 사회 체제는 그 문제를 해결하지 못한다.

'모성의 권리'는 부르주아 계급의 여성들뿐 아니라 프롤레타리아 여성들에게도 더 많이 영향을 끼친다. 어머니가 될 권리라는 말은 '어떤 여성의 마음에라도' 가 닿으며 심장을 두근거리게 한다. '나 자신의' 아이에게 모유를 먹이고 아기의 의식이 깨어나는 첫 신호들을 볼 권리, 그 작은 몸을 돌보고 삶에서 겪을 첫 가시와 고통으로부터 그 여린 영혼을 지켜낼 권리, 그러한 부름에 어떤 어머니가 응답하지 않겠는가?

우리는 다시 한 번 다양한 사회 계층의 여성들을 한데 묶어줄 주제를 만난 듯하다. 마침내 적대적인 두 세력의 여성들을 통합해줄 다리를 찾은 것 같다. 진보적인 부르주아 여성들이 '모성의 권리'를 어떻게 이해하는지 좀 더 자세히 들여다보자. 그러면 우리는 동등한 권리를 위해 싸우는 부르주아 투사들이 출산 문제에 관하여, 프롤레타리아 여성들이 실제로 해법에 동의할 수 있는지 그 여부를 알 수 있을 것이다. 모성의 권리를 열정적으로 옹호하는 사람들이 보기에 모성에는 거의 신성한 자질이 있다. 모성의 권리를 위해 싸우는 운동가들은 법적으로 축복받지 않았다고 해서 원치 않게 아이를 가진 여성에게 낙인을 찍는 잘못된 편견을 타파하려고 애쓰던 끝에 화살의 끝을 반대로 돌려버렸다. 즉 그들에게 있어서 모성은 여성이 살아가는 목표가 된 것이다.

엘렌 케이(Ellen Key)는 모성의 의무와 가족에 헌신을 다하다 못해 사회주의 노선을 따라 변화된 사회에서도 고립된 가족 단위가 계속 존재할 것이라고 확언한다. 혼인을 통한 결합에 수반되는 모든 편리함과 실익만이 결혼 결합으로부터 제외되는 것뿐이며 이러한 결합은 의식이나 격식을 차리지 않은 채 상호 간의 성향에 따라 맺어질 것이라고 했다. 즉 사랑과 결혼은 진정한 동의어가 되는 것이다. 하지만 고립된 가족 단위란 무의미한 경쟁과 압박과 외로움을 동반하는 현대의 개인주의 세계의 결과물이다. 가족은 괴물 같은 자본주의 체제의 산물이다. 그런데도 가족을 사회주의 사회에 물려주고자 한다! 혈연과 동족 유대감이 현재 삶에서 유일한 지원책이자 불운과 고난의 시기에 유일한 피난처로 작용하는 것은 사실이다. 하지만 그것들이 미래에도 도덕적으로나 사회적으로 필수적일까? 엘렌 케이는 부르주아 사회 구조에 헌신하는 사람들이 동경하는 중산층 부르주아의 개인 본위적 단위인 이 '이상적인 가족'을 애정 어린 눈으로 바라본다.

하지만 엘렌 케이만이 이러한 사회적 모순에서 길을 잃는 것은 아니다. 사회주의자들이 거의 일치를 보지 못하는 문제로 무엇보다 결혼과 가족 문제를 꼽을 수 있다. 굳이 사회주의자들 사이에서 설문 조사를 한다면, 그 결과는 상당히 흥미로울 것이다. 가족은 시들어가는가? 아니면 현재의 가족 소요들은 그저 이행기의 위기일 뿐이라는 타당한 근거가 있는가? 지금의 가족 형태는 미래 사회에서도 보존될 것인가? 아니면 현대 자본주의 체제와 함께 매장될 것인가? 여기에 대한 대답들은 아마도 전부 다를 것이다.

교육의 기능이 가족에서 사회로 넘어가면서 현대의 고립된 가족을 묶어주던 마지막 고리가 풀리게 될 것이다. 그러면 해체의 절차는 훨씬 더 빠르게 진행될 것이며 미래의 결혼 관계가 갖는 희미한 윤곽은 뚜렷해지기 시작할 것이다. 오늘날의 영향력에 감춰져 있는 이 뚜렷하지 않은 윤곽에 대해 우리는 어떤 말을 할 것인가?

현재의 의무적인 혼인 형태는 사랑하는 개인 간의 자유로운 결합으로 대체될 것이라는 말을 다시 반복해야 하는가?

해방을 위해 투쟁하는 여성들의 메마른 상상력이 끌어낸 자유로운 사랑이라는 이상은 두말할 나위 없이 어느 정도 사회가 규정하는 남성과 여성 사이 관계의 규범을 따라간다. 하지만 사회적 영향력은 너무도 복잡하고 그 상호 작용은 너무도 다양해서, 모든 체제가 근본적으로 바뀌는 미래의 관계가 어떨 것인지를 예측하는 것은 불가능하다. 하지만 남성과 여성 사이의 관계가 천천히 무르익어가는 발전을 보아 형식적인 결혼과 의무적인 고립 가족은 사라질 운명이라는 것이 분명해 보인다.

페미니스트들은 우리의 비판에 대해 이렇게 답한다. "우리가 여성들의 정치적 권리를 보호하는 근거가 되는 논거에 오해의 소지가 있어도 페미니스트들과 노동자 계급의 대표자들에게 똑같이 시급한 문제인 그 주장 자체의 중요성이 어찌 줄어들겠는가? 이 두 사회적 진영의 여성들이 공동의 정치적 바람을 이루려고 둘 사이를 나누고 있는 계급적 적대감의 장애를 넘어설 수 없는가? 분명 양측의 여성들은 그들을 둘러싼 적대적인 세력에 대항하여 공동의 투쟁을 전개할 수 있지 않은가?" 페미니스트들은 부르주아와 프롤레타리아 사이의 분리는 다른 문제에 관해 어쩔 수 없지만 특정한 문제에서는 다양한 사회적 계급의 여성들 간에 아무런 차이도 없다고 생각한다.

페미니스트들은 여성의 정치적 권리를 위해 함께 투쟁하자는 자신들의 권고를 노동자 계급의 대표자들이 거부하는 것이 그들의 당파적 충성심 때문이라고 생각한다. 쓰라림과 당황함을 안고서 거듭 이 논지로 돌아온다. 정말 그런 것일까?

정치적 바람에 온전한 단일성이 있는 것인가? 즉 어디서나 그렇듯이 이 문제에서도 서로에 대한 적대감으로 분리와 계급을 넘어서는 여성들의 군단이 탄생하지 못하고 있는 것일까? 우리는 여성들의 정치적 권리를 쟁취할 때 프롤레타리아 여성들이 쓰게 될 전략을 그리기 전에, 이 문제의 대답을 먼저 짚고 가야 한다.

페미니스트들은 자신들이 사회 개혁론 입장에 서 있고 일부는 먼 미래의 이야기이기는 하지만 사회주의에도 찬성한다고 말한다. 하지만 그들은 그러한 목표를 이루기 위해 노동자 계급 안에서 투쟁할 생각은 없다. 그들 대부분은 이기주의를 타고난 남성들이 상황을 통제해왔기 때문에 사회적 상처들이 생겨난 것으로 보고 일단 자신들이 대의원 자리를 꿰차고 나면 이를 치료할 수 있을 것이라고 순진하게 믿고 있다. 개별적인 페미니스트 집단들이 프롤레타리아 계급에 대해 얼마나 좋은 의도를 지니고 있든, 계급 투쟁의 문제가 제기될 때마다 그들은 겁에 질려 전장을 떠난다. 페미니스트들은 다른 대의에 끼어들려 하지 않으며 너무도 편안하게 익숙한 자신들의 부르주아적 자유주의로 후퇴하기를 선호한다.

아무리 부르주아 페미니스트들이 자신들이 가진 정치적 바람의 진정한 의도를 숨기려 해도, 아무리 그들이 정치적 삶에 뛰어들어 노동자 계급의 여성들에게 말할 수 없는 이익이 보장된다고 어린 누이들에게 확신시킬지라도, 전체 페미니스트 운동을 관통하고 있는 부르주아 정신은 일견 여성 일반인의 요구인 듯 보이는, 남성과의 동등한 정치적 권리에 대한 요구에도 계급적 색깔을 입힌다. 정치적 권리가 어떻게 사용되어야 하는지에 대한 서로 다른 이해와 목적으로 부르주아 여성과 프롤레타리아 여성들 사이에는 건널 수 없는 강이 생긴다. 그렇다고 해서 이것이 두 진영의 여성들이 가지고 있는 눈앞의 임무가 어느 정도는 일치한다는 사실에는 모순되지 않는다. 정치적 권력에 접근할 수 있게 된 모든 계급의 대표자들이 무엇보다도 모든 나라에서 여성에 대한 차별을 규정하고 있는 시민법을 개정하고자 애쓰고 있기 때문이다. 여성들은 스스로 더욱 나은 노동 조건들을 만

들기 위한 법적 변화를 유도한다. 그들은 성매매 등을 합법화하는 규정들에 맞서 함께 들고일어난다. 하지만 이렇듯 눈앞의 임무가 일치하는 것은 겉보기뿐이다. 계급적 이익으로 이 두 진영이 그러한 개혁에 대해 두 계급이 갖는 태도는 극도로 대치된다.

페미니스트들이 무엇이라 하든 계급적 본능은 '계급을 넘어선' 정책이라는 고상한 열망보다 항상 훨씬 더 강력하게 드러난다. 부르주아 여성들과 그 '어린 누이들'이 불평등을 평등하게 가지고 있는 한, 부르주아 여성들은 온전히 신실하게 여성들의 보편적 이익을 보호하기 위해 엄청난 노력을 기울인다. 하지만 일단 그 장벽이 무너지고 부르주아 여성들이 정치 활동을 할 수 있게 되자, 근래의 '모든 여성을 위한 권리'의 수호자들은 어린 누이들에게는 한 점의 권리도 남기지 않은 사실을 만족스러워한 채로 부르주아 계급의 혜택을 열정적으로 수호하기 시작했다. 그러므로 페미니스트들이 노동자 계급 여성들에게 '여성 일반' 원칙을 실현하기 위해 공동의 투쟁을 해야 한다고 말할 때, 노동자 계급의 여성들은 믿지 않는 것이 당연하다.

1913년 2월 '여성의 날'

1913년 2월 '여성의 날'

'여성의 날'이란 무엇인가? 여성의 날이 진정 필요한가? 부르주아 계급의 여성들, 그러니까 페미니스트들과 여성 참정권자들에게 양보하는 날 아닌가? 노동자 운동의 통합에 해가 되지는 않을까?

더는 나오지 않을 것 같은 이런 질문들이 러시아에서는 아직도 들려온다. 삶 자체가 그에 대해서 이미 명백하고 유려한 대답을 내놓았다.

'여성의 날'은 여성 프롤레타리아 운동이라는 길고 견고한 사슬 안의 한 고리다. 여성 노동자의 조직된 군대는 매년 성장해간다. 20년 전, 노동조합에 단지 몇몇 여성 노동자 집단들이 노동당 내 사방으로 흩어져 있었을 뿐이다. 이제 영국 노동조합에는 29만 2,000명의 여성 조합원들이 있고 독일에는 노동조합 운동에 약 20만 명, 노동당에 15만 명, 오스트리아 노동조합에 4만 7,000명, 근 2만 명의 여성 구성원들이 당에 가입되어 있다. 이탈리아, 헝가리, 덴마크, 스웨덴, 노르웨이, 스위스 등 사방에서 노동자 계급의 여성들은 스스로 조직하고 있다. 사회주의 군단의 여성들은 거의 100만 명에 이른다. 강력한 세력이 아닌가! 이 세계의 권력들이 생활 비용, 출산 보험, 아동 노동, 여성 노동을 보호하려고 법 제정 같은 문제들을 다룰 때 고려하지 않을 수 없는 세력이 되었다.

남성 노동자들은 한때 자신들만이 자본에 맞선 투쟁의 부담을 지고, 자신들만이 여성 동지들의 도움 없이 '구세계'와 대면해야 한다고 믿었다. 하지만 노동자 계급의 여성들은 남편과 아버지의 실업으로 노동 시장에 떠밀리면서 노동력을 파는 집단에 진입하게 되었다. 남성 노동자들은 여성들을 '계급 의식이 없는' 부류에 남겨두는 것이 자신들의 대의를 해친다는 것을 깨닫고 한발 물러섰다. 깨어난 의식을 가진 투사가 많아질 수록 성공의 가능성은 더 높아진다. 화롯가에 앉아 있는 여성, 사회와 국가, 가족 내에서 어떤 권리도 가지지 못한 여성이 어떤 의식을 하고 있겠는가? 그녀는 자기 자신만의 '생각'이 없다! 모든 것은 남편이나 아버지가 명한 대로 따를 뿐이다.

여성이 겪고 있는 뒤처짐과 권리 부족, 그들의 종속과 무관심은 노동자 계급에 전혀 이롭지 않으며 직접적인 해악을 가져온다. 하지만 여성 노동자들은 어떻게 운동으로 유도될 것이며 어떻게 깨어날 것인가?

외국의 사회 민주주의자들은 곧바로 올바른 해법을 찾지 못했다. 노동자 조직들은 여성 노동자들에게 열려 있었지만 합류한 것은 단 몇 명뿐이었다. 이유는 무엇인가? 처음 노동자 계급은 여성 노동자들이 그 계급에서 법적, 사회적으로 가장 박탈당한 구성원이라는 것, 그들이 몇 세기에 걸쳐서 협박당하고 박해받아왔다는 것, 그들의 마음과 정신을 자극하려면 특별한 접근, 즉 여성인 그들에게 가 닿을 수 있는 언어가 필요하다는 것을 알지 못했다. 이렇듯 노동자들은 권리가 부족하고 착취당하는 세상에서 여성들이 노동력의 판매자뿐 아니라 어머니로서, 여성으로서 억압받고 있다는 사실을 이해하지 못했다. 하지만 이 점을 깨닫자 사회주의 노동자당은 여성을 고용된 노동자라는, 여성이자 어머니라는 2가지 면에서 과감하게 방어하기 시작했다.

모든 나라의 사회주의자들이 여성 노동에 대한 특별한 보호, 어머니와 자녀를 위한 보험, 여성들의 정치적 권리, 여성의 이해 수호를 요구하기 시작했다.

노동자당이 여성 노동자에 관한 이 두 번째 목표를 더 명확하게 인지할수록 여성들은 더욱 기꺼이 당에 합류하였다. 당이 그들의 진정한 대변자이며 노동자 계급이 여성들만의 요구를 위해서도 투쟁하고 있다는 사실을 받아들이게 되었다. 조직되고 의식적인 여성 노동자들도 이 목표를 이해시키려고 무던히 많은 일을 해왔다. 이제 더 많은 여성 노동자들을 사회주의 운동으로 끌어들이는 일은 주로 여성들에게 달려 있다. 모든 나라의 정당들은 자체적인 여성위원회, 여성서기국, 여성사무국을 갖추고 있다. 이 여성위원회들은 여전히 정치적으로 깨어나지 못한 여성 인구 속에서 일하며 그들에게 여성 노동자라는 의식을 불러일으키며 조직하고 있다. 또한 이 위원회들은 임신했거나 보육 중인 어머니들을 위한 보호와 지원, 여성 노동에 대한 법적 규제, 성매매와 유아 사망에 반대하는 캠페인, 여성의 정치적 권리 요구, 주택개선, 생활 비용 상승에 맞선 캠페인 등 여성들에게 가장 영향을 끼치는 문제와 중요한 요구들을 조사한다.

그러므로 여성 노동자들은 당의 구성원으로서 공동의 계급적 대의를 위해 싸우면서도 동시에 여성, 주부, 어머니인 자신들에게 가장 영향을 끼치는 요구와 필요들을 찾아내 제시하고 있다. 노동자당은 이러한 요구들을 지지하며 그들과 함께 싸운다. 여성 노동자들의 요구 사항은 노동자들이 공동으로 갖는 대의의 일부가 되었다!

여성 노동자들은 '여성의 날'에 여성들이 겪는 권리의 부족에 대항하는 시위를 조직했다.

하지만 어떤 사람들은 물어볼 것이다. 왜 이렇듯 여성 노동자들을 별도로 대우하는가? 왜 특별한 '여성의 날'이, 여성 노동자들을 위한 전단지가 생기는가? 노동자 계급 여성들 간의 회의와 협의회가 필요한 것인가? 최종적으로 페미니스트와 부르주아 여성 참정권자에 대한 양보가 아닌가?

사회주의 여성 운동과 부르주아들의 참정권 운동 사이에 놓인 근본 차이를 알지 못하는 사람들만이 그런 생각을 할 것이다.

페미니스트의 목적은 무엇인가? 그들의 목표는 자본주의 사회 내에서 현재 자신의 남편, 아버지, 형제들이 가지고 있는 것과 똑같은 혜택, 권력, 권리를 획득하는 것이다. 여성 노동자들의 목표는 무엇인가? 그들의 목표는 태생과 부에서 나오는 모든 특혜를 폐지하는 것이다. 여성 노동자들에게 있어서 남성과 여성 중 누가 '지배자'인지는 관심 밖의 문제다. 여성 노동자들은 노동자 계급 전체와 함께해야만 노동자로서의 자신이 처한 상황을 개선할 수 있다.

페미니스트들은 어디서나 항상 동등한 권리를 요구한다. 여성 노동자들은 대답한다. "우리는 남성과 여성, 즉 모든 시민을 위한 권리를 요구하면서도, 우리가 노동자이자 시민일 뿐만 아니라 어머니이기도 하다는 사실을 잊지 않는다! 어머니로서, 미래를 낳는 여성으로서, 우리는 우리 자신과 우리 아이들을 위한 특별한 관심, 즉 국가와 사회로부터 특별한 보호를 요구한다."

페미니스트들은 정치적 권리를 획득하기 위해 분투하고 있다. 하지만 여기에서 우리의 길은 갈라진다.

부르주아 여성들에게 정치적 권리란 단순히 노동자들에 대한 착취를 기반으로 세워진 세상에서 더욱 편리하고 안전한 길을 찾아가는 수단일 뿐이다. 여성 노동자들에게 정치적 권리란 바람직한 노동 왕국으로 이끄는 거칠고 힘든 길을 따라 내딛는 걸음이다.

여성 노동자들과 부르주아 참정권 옹호자들이 추구하는 길은 아주 오래전부터 분리되어 있었다. 삶이 그들에게 던져준 목적들 사이에 너무도 큰 차이가 있다. 여성 노동자와 하녀와 주인의 이해 속에는 큰 충돌이 있다. 그들과 접촉하고 화해하고 수렴할 수 있는 지점은 있지도 않고 있을 수도 없다. 그러므로 남성 노동자들은 별도의 여성의 날이나 여성 노동자들이 여는 특별한 협의회나 여성 출판물에 대해 두려움을 느끼지 않아도 된다.

노동자 계급의 여성들 안에서 일어나는 특별한 일들은 단지 여성 노동자들의 의식을 깨우고 그들이 더 나은 미래를 위해 싸우는 사람들에 합류하게 하는 하나의 수단일 뿐이다. 여성의 날, 여성 노동자들의 자각을 일깨우기 위한 느리면서도 꼼꼼한 작업은 노동자 계급의 분리가 아니라 통합에 이바지하고 있다.

여성 노동자들이 공동의 계급적 대의에 봉사하며 여성 해방을 위해 싸우는 즐거움을 가지고 여성의 날을 함께 축하하자.

1920년 세계 여성의 날

1920년 세계 여성의 날

전투적인 기념

여성의 날, 즉 여성 노동자의 날은 국제 연대의 날이자 프롤레타리아 여성들의 힘과 조직력을 돌아보는 날이다.

하지만 이날은 여성에게만 특별한 날이 아니다. 3월 8일은 노동자와 농민들에게, 러시아의 모든 노동자와 전 세계의 노동자들에게 역사적이고 기념비적인 날이다. 1917년 이날, 2월 대혁명이 일어났다.[1] 이 혁명은 상트페테르부르크의 여성 노동자들로부터 시작되었다. 바로 그들이 차르와 그 세력에 반대하는 깃발을 들겠다고 처음 결정했다. 그런 의미에서 우리는 여성 노동자의 날을 이중으로 축하하는 것이다.

하지만 이날이 모든 프롤레타리아를 위한 축일이라면 우리는 왜 이날을 '여성의 날'이라고 부르는 것일까? 우리는 왜 여성 노동자들과 여성 농민들의 특별한 기념행사와 회의를 여는 것일까? 이것이 노동자 계급의 통합과 연대를 위태롭게 하지는 않을까? 이 질문들에 대답하려면 여성의 날이 어떻게 시작되고 어떤 목적으로 조직되었는지를 우선 살펴보아야 한다.

어떻게 그리고 왜 여성의 날이 조직되었는가?

약 10여 년 전 여성 평등의 문제와 여성이 남성과 함께 정부에 참여할 수 있는지의 문제가 열띤 논쟁의 대상이 되었다. 모든 자본주의 국가의 노동자 계급은 여성 노동자의 권리를 위해 투쟁했으나 부르주아 계급은 이 권리들을 받아들이려 하지 않았다. 의회에서 노동자 계급의 표를 강화하는 것은 부르주아들의 관심사가 아니었다. 모든 나라의 부르주아들은 여성 노동자들에게 권리를 주는 법안이 통과되는 것을 막았다.

북미의 사회주의자들은 특히 집요하게 선거권을 요구했다. 1909년 2월 28일, 미국의 여성 사회주의자들은 여성 노동자들의 정치적 권리를 요구하면서 미국 전역에서 시위와

회의를 조직했다. 이것이 최초의 '여성의 날'이다. 그러므로 여성의 날 조직을 발기한 것은 미국의 여성 노동자들이었다.

1910년 2차 국제여성노동자회의에서 클라라 체트킨(Clara Zetkin)[2]은 세계 여성 노동자의 날을 조직하자는 안건을 제시했다. 국제 여성 노동자 회의는 매년, 모든 나라에서 여성들의 선거권은 사회주의를 위한 투쟁에서 우리의 힘을 단결시킬 것이다라는 구호 아래 똑같이 '여성의 날'을 기념하자고 결정했다.

이 시기에 의회를 더욱 민주적으로 만들자는 것, 즉 참정권을 확대하여 여성에게까지 선거권을 확대하는 문제가 쟁점이었다. 1차 세계대전 이전에도 러시아를 제외한 모든 부르주아 나라들에서 노동자들은 투표할 권리를 가지고 있었다.[3] 여성과 금치산자들에게만 투표권이 없었다. 하지만 동시에 자본주의의 가혹한 현실은 여성들이 국가 경제에 참여하기를 바랐다. 공장이나 작업장에서 일하거나 하녀 또는 식모로 일해야 하는 여성들의 수가 매년 증가했다. 여성들은 남성들과 나란히 노동했고 국가의 부는 그들의 손에서 창출되었다. 하지만 여성들에게는 여전히 선거권이 없었다.

그러나 전쟁이 일어나기 전, 몇 년간 물가가 상승하면서 가장 온화하던 가정주부마저도 정치 문제에 관심이 생기게 되었고 부르주아들의 약탈 경제에 맞서 목소리를 높이게 되었다. '주부들의 봉기'는 점점 빈번해져가면서 오스트리아, 영국, 프랑스, 독일에서 저마다 불타올랐다.

여성 노동자들은 그저 시장의 가판대를 뒤엎으면서 잡동사니들을 파는 상인을 위협하는 것만으로는 충분하지 않다는 것을 알고 있었다. 그런 행동들이 생활 비용을 내리지 못한다는 것을 이해하고 있었다. 정부의 정책을 바꿔야만 했다. 그러려면 노동자 계급의 참정권이 확대되어야 했다.

여성 노동자들의 투표권을 위한 투쟁의 한 형태로, 모든 나라에서 여성의 날을 개최하기로 결정했다. 이날은 공동의 목표를 위한 싸움에서 얻어낸 결과였다. 국제적 연대의 날이 될 것이었고 사회주의라는 기치 아래서 여성 노동자들의 조직된 힘을 돌아보는 날이 될 터였다.

1회 세계 여성의 날

2차 세계 여성 노동자 회의에서 내려진 결정은 서면으로 남겨지지 않았다. 첫 세계 여성의 날은 1911년 3월 19일에 개최되기로 결정되었다.

무작위로 선택된 날짜는 아니었다. 3월 19일은 독일 프롤레타리아 계급에서 역사적으로 중요한 날이어서 독일 국민이 고른 날이었다. 1848년 혁명의 해, 3월 19일에 프러시아 왕이 무장한 대중들의 힘을 인정하고 프롤레타리아 봉기의 위협에 처음 굴복했던 것이다. 프러시아 왕이 지키지 못한 많은 약속 가운데 하나가 바로 여성에게 선거권을 도입하겠다는 거였다.

1월 11일 이후, 독일과 오스트리아에서 여성의 날에 대한 준비가 한창이었다. 그들은 입소문과 지면을 통해 데모 계획을 알렸다. 여성의 날이 열리기 전에 독일의 《여성의 선거권》과 오스트리아의 《여성의 날》, 2개의 간행물이 등장했다. '여성과 의회', '여성 노동자와 시정', '주부와 정치의 관계는 무엇인가?' 등 여성의 날에 초점을 맞춘 다양한 기사들이 나와서 정부와 사회 안팎으로 여성의 평등권 문제를 세밀하게 분석했다. 모든 기사가 강조했던 쟁점은 하나였다. 여성에게 참정권을 주어 의회를 더욱 민주적으로 만들 필요가 있다는 점이었다.

1회 세계 여성의 날은 1911년에 열렸다. 그 성과는 기대 이상이었다. 여성의 날, 독일과 오스트리아에 들끓으며 요동치는 여성들의 물결로 하나가 되었다. 사방에서 회의가 조직되었다. 작은 마을들, 촌락의 회관까지도 사람들이 들어차는 바람에 남성 노동자들에게 여성들을 위해 자리를 비켜 달라고 요청해야 할 정도였다.

이는 분명 여성 노동자들의 투쟁 정신을 보여준 첫 모습이었다. 남성들은 평소와 달리 집 안에서 아이들과 함께 있었고 집 안에만 있던 가정주부인 아내들이 밖으로 나가 회의에 참가했다. 3만 명이 참여한 대규모 길거리 시위가 일어나는 중에 경찰이 시위대의 현수막을 쳐냈다. 그에 맞서는 여성 노동자들과 충돌을 빚었고 의회의 사회주의자 대의원들의 도움으로 가까스로 유혈 사태를 피할 수 있었다.

1913년 세계 여성의 날은 3월 8일로 옮겨졌다. 이날은 여성 노동자들의 투쟁 정신의 날로 전해져 오고 있다.

여성의 날은 필요한가?

여성의 날은 미국과 유럽에서 놀라운 결과를 낳았다. 어느 한곳의 부르주아 의회도 노동자에게 양보하거나 여성들의 요구에 답하려 하지 않았다. 당시 부르주아는 사회주의 혁명을 위협적으로 느끼지 않았던 것이다.

하지만 여성의 날은 무언가를 이루어냈다. 무엇보다 프롤레타리아 중 정치적이지 않았던 사람들에게 자극을 주었다. 그들은 회의와 시위가 열리고 포스터와 팸플릿에 표현되는 여성의 날에 관심을 돌리지 않을 수 없었다. 정치적인 것에 거리를 두는 여성 노동자조차 '이것은 우리의 날이다, 여성 노동자들의 축제'라고 생각했다. 매번 여성의 날이 끝나고 나면 더 많은 여성이 사회주의 정당들에 가입했고 노동조합은 점점 커졌다. 조직들은 성장했고 정치적 의식이 높아졌다.

여성의 날이 해낸 역할은 또 있었다. 노동자들의 국제적 연대가 강화되었던 것이다. 여러 나라의 정당들은 이날 연사들을 서로 파견한다. 독일인들은 영국으로, 영국인들은 네덜란드로 갔다. 노동자 계급의 국제적인 결합이 강해졌고, 이는 프롤레타리아 전체의 투쟁력이 높아졌다는 것을 의미한다.

여성 노동자 투쟁의 날은 프롤레타리아 여성들의 의식과 조직을 향상하는 데 일조한다. 이것은 여성의 날의 역할이 노동자 계급의 더 나은 미래를 위해 싸우는 사람들의 성공에 반드시 필요하다.

러시아 여성 노동자의 날

러시아 여성 노동자들은 1913년, '여성 노동자의 날'에 처음 참여했다. 차르 체제가 노동자들과 농민들을 손아귀에 쥐고 있던 시기에 일어났기 때문에 공개적인 시위로 '여성 노동자의 날'을 축하할 수 없었다. 하지만 조직된 여성 노동자들은 자신들을 위한 이 국제적인 날을 기념해냈다. 합법적 노동자 계급 신문인 볼셰비키의《프라우다(Pravda)》와 멘셰비키의《루취(Looch)》둘 다 세계 여성의 날에 관해 보도했다.[4] 이 신문들은 특별 기사들과 여성 노동자 운동에 참가한 사람들의 모습, 베벨과 체트킨 등의 환영사를 실었다.[5]

암울했던 당시에 모임은 금지되어 있었다. 하지만 페트로그라드(상트페테르부르크의 옛 이름)의 칼라샤이코프스키 배급소(Kalashaikovsky Exchange)에서 노동자당에 속해 있던 여성 노동자들은 '여성 문제'에 관한 공개 포럼을 조직했다. 참가비는 5코페이카였다. 불법 모임이었지만 방은 사람들로 가득 찼다. 노동자당의 당원들이 발언했다. 하지만 이 생생했던 '비공개' 모임은 끝을 맺지 못했다. 그러한 활동에 경각심을 느낀 경찰들이 개입하여 발언자들 다수를 체포해갔기 때문이다.

차르의 억압 아래 사는 러시아의 여성들이 세계 여성의 날을 함께하고 어떻게든 행동으로 지지했다는 사실은 전 세계 노동자들에게 매우 중요했다. 이는 러시아가 깨어나고 있으며 차르 체제의 감옥과 교수대가 노동자들이 가지고 있는 투쟁과 저항의 정신을 없애는 것은 무리라는 것을 보여주는 반가운 신호였다.

1914년, 러시아 '여성 노동자의 날'은 더욱 건강히 조직되었다. 노동자 계급의 두 신문은 축하를 표했다. 뜻을 함께하는 사람들이 많은 노력을 들여서 '여성 노동자의 날'을 준비했다. 하지만 경찰의 개입으로 시위는 열릴 수 없었다. '여성 노동자의 날' 기획에 참가했던 사람들은 차르 체제의 감옥에 갇혔고 많은 사람이 북부 지역으로 쫓겨났다. 러시아에서 '여성 노동자들의 투표권을 위하여'라는 구호는 자연스럽게 차르 독재 체제의 전복을 공공연히 요구하는 것이었기 때문이다.

제국주의 전쟁 중의 여성 노동자의 날

첫 전쟁이 발발했다. 모든 나라에서 노동자 계급은 전쟁의 피를 뒤집어썼다.[6] 1915년과 1916년 외국에서 열린 '여성 노동자의 날'은 빈약했다. 러시아 볼셰비키당과 뜻을 같이하는 좌파 사회주의자 여성들은 3월 8일을 전쟁에 대항하는 여성 노동자들의 시위로 만들려고 애썼다. 하지만 독일 및 다른 나라에서 사회주의 정당의 배반자들이 사회주의자 여성들이 모임을 조직하게 내버려두지 않았다. 또한 사회주의자 여성들은 중립국에 가서 여성 노동자들의 국제회의를 개최하고 부르주아들의 바람과 달리, 국제 연대의 정신이 살아 있다는 것을 보여주려 했으나 여권 발급을 거부당했다.

1915년에는 여성의 날에 국제 시위를 조직할 수 있었던 곳은 노르웨이뿐이었다. 러시아와 중립국들의 대표단이 참가했다. 차르 체제와 군사 기구가 활개를 치는 이곳 러시아에서는 여성의 날을 조직하겠다는 생각조차 할 수 없었다.

1917년은 배고픔과 추위, 전쟁의 고통이 러시아 여성 노동자와 여성 농민들의 인내심을 무너뜨렸다. 1917년 3월 8일(차르력 2월 23일) 여성 노동자의 날, 그들은 용감하게 페트로그라드의 거리로 나왔다. 여성 노동자들과 군인의 아내들은 "우리 아이들에게 먹일 빵을 달라", "참호에서 우리 남편들을 되돌려달라"고 외쳤다. 이 결정적인 시기에 여성 노동자들의 시위는 엄청난 위협이 되었다. 심지어 차르의 보안대조차 감히 평소 저지하던 방식대로 하지 못하고 당황한 채 민중들의 분노가 몰아치는 물결을 바라볼 수밖에 없었다.

1917년 여성 노동자의 날은 역사에 기념비적인 날이 되었다. 이날 러시아 여성들은 프롤레타리아 혁명의 횃불을 올리고 전 세계에 불을 붙였다. 2월 혁명은 이날 시작되었다.

전투에 참가하자

'여성 노동자의 날'은 10년 전, 여성들의 정치적인 평등과 사회주의를 위한 투쟁을 외치면서 처음 조직되었다. 러시아의 노동 계급 여성들이 목적을 이루어냈다. 소련 공화국에서는 여성 노동자들과 농민들이 선거권과 시민권을 위해 싸울 필요가 없다. 러시아의 여성 노동자들과 농민들은 동등한 시민으로서 더 나은 삶을 위한 투쟁에 필요한 강력한 무기, 바로 투표권과 소비에트들(노동자 평의회들)과 모든 공동체 조직에 참가할 수 있는 권리를 손에 쥐고 있다.[7)]

하지만 권리를 가지고 있다는 것만으로는 충분하지 않다. 우리는 그 권리를 사용할 줄 알아야 한다. 우리 자신을 위해, 노동자 공화국의 이익을 위해 투표할 권리를 이용해야

한다. 소비에트 정권 2년 동안, 삶은 완벽하게 변하지 않았다. 우리는 공산주의로 가는 투쟁의 길 위에 있을 뿐이며 암울하고 억압적인 과거에서 물려받은 세계에 둘러싸여 있다. 가족과 가사일, 성매매의 족쇄가 여전히 여성 노동자들을 무겁게 짓누른다. 여성 노동자들과 농민들이 법안뿐 아니라 삶 그 자체에서 이러한 상황을 없애고 평등을 위한 길은 러시아가 진정한 공산주의 사회로 가는 데 모든 힘을 쏟는 것뿐이다.

그날이 더 빨리 오게 하려면, 우리는 무엇보다 산산이 부서진 러시아의 경제를 바로 세워야 한다. 우리는 무엇보다 가장 시급한 두 임무, 잘 조직되고 정치적으로 의식 있는 노동자 세력을 만드는 것과 운송 체계를 다시 세우는 문제를 해결하려고 고심해야 한다. 우리의 노동자 군대가 제대로 돌아간다면 우리는 조만간 다시 한 번 증기 엔진을 돌릴 수 있게 될 것이고 철로는 다시 작동할 것이다. 이것은 남성 노동자와 여성 노동자들이 그토록 절실히 필요로 하는 빵과 땔감을 얻게 되는 것과 마찬가지다.

운송 체계가 제대로 작동하면 공산주의의 승리는 더욱 빨리 다가올 것이다. 공산주의가 승리하면 여성들의 완전하고 근본적인 평등도 이루어질 것이다. 이러한 이유로 올해

'여성 노동자의 날'에는 "반드시 여성 노동자, 여성 농민, 어머니, 아내, 누이들이여. 노동자와 동지들이 철로의 혼란을 극복하고 운송 체계를 다시 세우기 위한 노력에 일조하는 모든 노력을 쏟아붓자. 빵과 땔감과 원자재를 확보하기 위한 투쟁에 모두가 나서자."

작년 여성 노동자의 날 구호는 '모두가 붉은 전선의 승리를 향해'였다.[8] 이제 우리는 여성 노동자들이 새로운 무혈 전선에 온 힘을 다해줄 것을 바란다. 바로 노동 전선이다! 붉은 군대가 외국의 적을 무너뜨릴 수 있었던 것은 조직되고 규율을 갖추었으며 스스로 희생할 준비가 되어 있었기 때문이다. 조직력, 근면, 자기 규율, 자기희생이 있다면 노동자 공화국은 내부의 적, 즉 운송 체계의 혼란과 경제, 배고픔, 추위, 질병을 극복할 것이다. "무혈 노동 전선에서의 승리를 위해 모두 나서자! 이 승리를 향해 모두 나서자!"

여성 노동자의 날이 갖는 새로운 과제

10월 혁명은 여성들에게 시민권을 주어 남성과 동등한 권리를 갖게 했다. 러시아 프롤레타리아 여성들, 불과 얼마 전만 해도 가장 불운하고 억압받던 이 여성들이 이제는 소비에트공화국 안에서 프롤레타리아와 평의회 세력의 독재를 통해 정치적 평등으로 가는 길에 자부심을 느낄 수 있게 되었다.

여성들이 여전히 과로에 시달리면서도 권리를 보장받지 못하는 자본주의 나라들이 처한 상황은 매우 다르다. 이 나라들에서 여성 노동자들의 목소리는 약하고 생기가 없다. 사실 노르웨이, 호주, 핀란드, 북미의 몇몇 주들 등 여러 나라의 여성들은 심지어 전쟁 전에 시민권을 획득했다.[9)]

독일에서는 카이저(Kaiser)가 쫓겨나고 '타협자(compromiser)'[10)]가 이끄는 부르주아 공화국이 설립된 이후 36명의 여성이 의회에 입성했다. 하지만 공산주의자는 단 1명도 없었다!

1919년 영국에서는 한 여성이 처음 의회의 구성원으로 선출되었다. 하지만 그 여성이 누구인가? "레이디"이다. 다시 말해 지주, 즉 귀족이었다.[11)]

프랑스 역시 최근 들어, 여성에게 참정권을 확대하는 문제가 떠올랐다. 부르주아 의회라는 틀 안에서 이러한 권리가 여성 노동자에게 무슨 소용이 있단 말인가? 권력이 자본주의자들과 토지 소유자들 손에 있는 한, 어떤 정치적인 권리도 여성 노동자들을 집안과 사회의 노예라는 전통적인 지위에서 구해낼 수 없다. 프롤레타리아들 사이에서 볼셰비키 사상이 퍼져 나가자 프랑스 부르주아들은 노동자 계급에 또 다시 당근을 던져주려고 한다. 여성에게 투표권을 주려는 것이다.[12]

부르주아씨, 너무 늦었어요

러시아의 10월 혁명을 겪고 나자 프랑스, 영국, 다른 나라들의 모든 여성 노동자는 오직 노동자계급의 독재만이, 오직 소비에트의 힘만이 완전하고 절대적인 평등을 보장할 수 있다는 사실을 분명히 알게 되었다. 공산주의의 궁극적 승리만이 수세기 동안 내려온 억압과 권리 박탈이라는 족쇄를 끊어낼 것이다.

'세계 여성 노동자의 날'의 임무가 앞서 부르주아 의회의 패권에 대하여 여성들이 투표할 권리를 위해 싸우는 것이었다면, 노동자 계급은 이제 새로운 임무에 매진해야 한다. 제3인터내셔널(The Third International, Kommun-istische Internationale)의 구호 아래 여성 노동자를 조직하는 것이다.

부르주아 의회에서 일하는 대신에 러시아의 부름을 들어보라.

> "전 세계의 여성 노동자들이여! 세계를 약탈하는 세력에 맞선 투쟁에서 통합된 프롤레타리아 전선을 조직하라! 부르주아 의회 정치를 타도하라! 우리는 소비에트 권력을 환영한다! 남성 노동자와 여성 노동자가 당하는 불평등을 없애자! 우리는 세계 공산주의의 승리를 위해 노동자들과 함께 싸울 것이다!"

이 부름은 새로운 체제의 시도 한가운데서 울려 퍼졌다. 이 부름은 내전의 전투에서 다른 나라들의 여성 노동자들에게 가 닿고 그들의 마음을 뒤흔들 것이다. 여성 노동자들은 이 부름을 듣고 그 말을 믿을 것이다. 얼마 전까지만 해도 그들은 의회에 몇몇 대표자들을 보내게 되면 삶이 더 편안해지고 자본주의에 잘 견딜 수 있을 것이라고 여겼다. 이제 그들은 그렇지 않다는 것을 안다.

자본주의를 전복시키고 평의회 권력을 세우는 것을 통해서만 자본주의 나라에서 여성 노동자의 삶 속의 고난과 굴욕과 불평등을 벗어낼 수 있다. '여성 노동자의 날'은 선거권을 위한 투쟁의 날에서 전면적이고 완전한 여성 해방을 위해, 평의회의 승리와 공산주의를 위해 투쟁하는 국제적인 날로 바뀌었다!

소유의 세계와 자본의 세력을 타도하자!

부르주아 세상의 유산인 여성들의 불평등과 권리 부재, 억압을 철폐하자!

남성과 여성 프롤레타리아의 독재를 향해 여성 노동자와 남성 노동자들의 국제적 연대로 나아가자!

미주

1) 차르 체제의 러시아에서는 중세의 '율리우스'력을 사용했다. 이는 대부분이 사용하는 '그레고리'력에 비해 13일이 느리다. 그러므로 3월 8일은 구력에서 '2월 23일'이다. 이 때문에 1917년 3월의 혁명을 '2월 혁명'이라고 부르며 1917년 11월의 혁명을 '10월 혁명'이라고 부르는 것이다.

2) 독일 사회주의 운동의 지도자이자 국제 여성 노동자 운동의 주요 인물이었다.

3) 대부분의 영국, 프랑스, 독일의 미숙련 노동자는 투표할 수 없었다. 미국에서는 노동자 계급의 남성 일부, 특히 이민자 남성은 투표할 수 없었다. 미국 남부에서 흑인들은 보통 투표를 금지당했다. 모든 유럽 국가에서 있었던 중간 계급의 참정권 운동은 남성 노동자와 여성 노동자, 어느 쪽의 선거권을 위해서도 싸우지 않았다.

4) 1903년 의회에서 러시아 사회민주노동당은 볼셰비키(러시아어로 다수)와 멘셰비키(소수) 두 파로 갈라졌다. 1903년과 1912년 사이에(분리가 영구화되었을 때) 이 두 파는 잠시 통합되었으나 다시 갈라졌다. 러시아 조직들을 포함한 많은 사회주의자가 이들의 분쟁에서 중립을 지키려고 애썼다. 콜론타이는 1899년부터 활발한 사회주의자이자 여성 권리를 위한 투사로 활동해오면서, 처음에는 이 분리에 무관심했다가 후에 몇 년간 멘셰비키가 되었다. 그 후 1915년에 볼셰비키에 합류했고 볼셰비키 중앙위원회의 유일한 여성 위원이 되었다.
5) 아우구스트 베벨(August Bebel)은 독일 사회민주당의 지

도자였다. 베벨은 여성 운동의 지지자로 유명했으며 마르크스주의와 여성에 관한 고전 『Die Frauenfrage(Woman under Socialism)』을 출간했다. 한국에서는 『여성론』으로 출간되었다.

6) 1914년 전쟁이 발발하자 국제 사회주의 운동 안에서 거대한 분열이 일어났다. 독일, 오스트리아, 프랑스, 영국의 사회민주주의자 대부분이 전쟁을 지지했다. 러시아의 콜론타이, 레닌, 볼셰비키당과 트로츠키, 독일의 클라라 체트킨(Clara Zetkin)과 로자 룩셈부르크(Rosa Luxemburg), 미국의 유진 데브스(Eugene Victor Debs) 등의 지도자들은 전쟁에 찬성하는 사회주의자들을 노동자 계급과 노동자 혁명을 위한 투쟁에 대한 배신자라고 비판했다.

7) '소비에트'는 '평의회'를 뜻한다. 노동자 평의회에서는 공장이나 지역 공동체의 대표들이 선출되며 동료 노동자들이 관리한다. 평의회 대표들은 자신의 구역에 돌아와 보고해야 하고 소환에 즉시 응해야 한다.

8) 1917년 11월의 10월 혁명에서 노동자 계급이 권력을 쥔 이후, 러시아 노동자 국가는 2가지 주요한 문제와 마주하게 되었다. 하나는 미국을 포함한 13개국의 침략이었고, 다른 하나는 러시아 내의 친군주제이거나 친자본주의적인 요소들이었다. 주로 레온 트로츠키(Leon Trotsky)의 지휘 아래, 평의회들은 노동자와 농민 군대, 즉 붉은 군대를 세웠다. 이 붉은 군대가 반혁명 세력들을 무찔렀다.
9) '제1차 세계대전 이전에 미국의 몇몇 주에서는 여성들이 투표권을 획득했다. 21세 이상 모든 여성의 투표권을 보장하는

연방 개정안이 1920년 8월 26일에 통과되었다. 1960년대가 되어서야 미국에서 노동자 계급이 투표할 수 있는 권리의 마지막 법적 장애물이 철폐되었다.

10) 콜론타이가 여기서 말하는 '타협자들'은 1918년 카이저가 물러난 후 독일에 새로운 자본주의 정부를 세웠던 사회민주당 지도자들을 가리킨다. 그들은 의회에 입성한 후 적극 반혁명을 지지했다.(이들이 로자 룩셈부르크와 카를 리프크네히트Karl Liebknecht를 살해하였다. -역주)

11) '귀족인 레이디 아스토르(Lady Astor)가 실제로 영국 의회에 입성한 첫 여성이기는 하지만, 의회에서 선출된 첫 여성은 아일랜드 혁명가인 콘스탄스 마르키에비스(Constance Markievicz)였다. 콘스탄스 마르키에비스는 신 페인 노동자당(Sinn Fein)의 다른 일원들과 함께 제국주의적인 의회에서 자리 맡기를 거부했다.

12) 프랑스 여성들은 결국 제2차 세계대전이 끝날 때까지 투표권을 얻지 못했다.

1921년 세계 여성 노동자의 날

블라디미르 일리치 레닌

1921년 세계 여성 노동자의 날

볼셰비키 이념과 러시아의 10월 혁명의 골자는 자본주의 아래에서 가장 억압받던 바로 그 사람들을 정치로 끌어들인 것이다. 그들은 군주제나 부르주아 민주주의 공화국에서 자본주의자들에게 짓밟히고 농락당하며 갈취당했다. 토지와 공장이 사적 소유물로 남는 한 자본주의자들에 의한 억압과 기만, 노동력 약탈은 피할 수 없다.

볼셰비키 이념과 소비에트 권력의 핵심은 부르주아 민주주의의 거짓과 겉치레를 드러낸다. 토지와 공장에 대한 사적 소유권을 폐지하고 모든 국가 권력을 착취당하는 노동자의 손으로 집중시킨다. 대중이 정치, 즉 새로운 사회를 건설하는 일을 쥐는 것이다. 이는 결코 쉬운 일이 아니다. 대중들은 자본주의에 짓밟히고 억압받고 있다. 임금 노예 및 자본의 속박에서 벗어날 다른 방도가 없고 있을 수도 없기 때문이다.

하지만 여성 역시 필요한 대중들을 정치에 끌어들일 수 있다. 자본주의 아래에서 인류의 절반인 여성이 이중으로 억압받고 있기 때문이다. 여성 노동자와 여성 농민들은 자본의 억압에 눌려 있다. 하지만 가장 민주적이라는 부르주아 공화국에서조차 여성들은 남성과 동등함을 보장해주지 않아 권리를 박탈당한 채로 남아 있다. 그리고 여전히 가정에 구속돼 묶여 있다. 그들은 과도한 부엌일과 집안일을 짊어진 채로 '가정 노예'인 상태로 남아 있다.

세상의 어떤 정당이나 혁명도 소비에트 볼셰비키 혁명처럼 여성들의 억압과 불평등이 뻗어 있는 뿌리까지 쳐낼 생각은 하지 못했다. 소비에트러시아에서는 남성과 여성 사이의 어떤 불평등의 흔적도 남아 있지 않다. 소비에트 권력은 특히 뿌리 깊게 내린 위선적인 결혼과 가족에 관한 불평등, 자녀 문제에 관한 불평등을 없앴다.

이는 여성 해방에 내디딘 첫걸음일 뿐이다. 하지만 어떤 부르주아 공화국도, 가장 민주적이라는 나라조차 감히 시도하지 못했다. '신성불가침의 사유 재산'에 대한 경외 때문이다.

토지와 공장에 대한 사적 소유권을 폐지하는 다음 행로

도 중요하다. 이것만이 완전하고 실질적인 여성 해방, 소소한 개인의 집안일을 대규모의 사회화된 가내 서비스로 이행해 얻어지는 '가정 속박'에서 여성 해방을 향한 문을 활짝 열 수 있다.

이 이행은 만성적이고 가장 완고하고 견고한 '질서'(더 정확하게는 상스러움과 야만성)를 재구축하는 일이기 때문에 절대 쉽지 않다. 하지만 그 이행 과정이 시작되고 일이 돌아가기 시작했다. 우리는 새로운 길 위에 서 있는 것이다.

세계 여성 노동자의 날에, 세계 각국의 여성 노동자들이 여는 수없이 많은 회의에서 소비에트러시아에 인사를 표할 것이다. 소비에트러시아야말로 이 유례없고 상상할 수 없이 힘든 임무, 보편적으로 위대하며 진정으로 해방적인 임무에 처음 착수했다. 격렬하고 야만적인 부르주아들의 반발에 맞서 정신력을 잃지 말자는 활기찬 외침이 있을 것이다. '더욱 자유롭고' '더욱 민주적'인 부르주아 국가일수록 노동자 혁명에 반대하는 자본주의자 무리의 광란은 사납다. 북미의 미국을 예로 들 수 있다. 하지만 노동자 대중은 이미 깨어났다. 미국, 유럽, 뒤처진 아시아까지 꼼짝 않고 잠들어 있던 무력한 대중들이 제국주의 전쟁으로 마침내 깨어났다.

세계 모든 곳에서 얼음벽은 무너져 내렸다.

어떤 것도 제국주의의 멍에로부터 인민의 해방, 자본의 굴레에서 벗어난 노동자의 물결을 멈출 수 없다. 수백만, 수천만의 남성 노동자와 여성 노동자들이 도시와 교외에서 이 대의를 밀고 나가고 있다. 그리하여 자본이라는 굴레로부터 노동 해방이라는 대의는 전 세계에서 승리할 것이다.

1921년 3월 4일

옮긴이 해제

콜론타이와 여성의 날,
그리고 레닌

이 연표를 통해서 콜론타이의 삶을 전체적으로 살펴보고 이 책에 실은 글들을 이해하는 데 도움이 되었으면 한다.

알렉산드라 콜론타이의 생에 대해 많은 오해가 있다. 한때 가장 심했던 오해는 콜론타이를 '성 노동자 운동의 대모'로 평가하는 것이다. 국내에서 콜론타이의 『위대한 사랑』이 번역되고 수록된 『자매』에서 콜론타이가 성매매에 분명히 반대하자 이러한 오해는 사라졌다. 이 책에 실린 〈1913년 2월, 여성의 날〉에서도 콜론타이는 노동자당의 캠페인 중 하나를 성매매에 반대하고 있고, '세계 여성의 날'에서도 성매매를 '노동'이 아닌 '족쇄'로 보았다. 또 하나의 오해는 콜론타이가 레닌에게 저항한 여성 투사로서 볼셰비키에게 정치적 버림을 받았다는 것이다. 그러나 레닌이나 볼셰비키 노선에 대해 콜론타이가 반대했던 기간은 노동자 반대파로서 활동했던 2년가량뿐이었다. 그 2년만으로 콜론타이의 생애 전체를 평가해서는 안 된다.

콜론타이의 삶은 다음과 같이 정리된다. 콜론타이는 1872년 태어났다. 1895년부터 운동에 뛰어들어 1915년 볼셰비키에 가입했다. 1922년까지 여성 노동자 운동을 했다. 10월 혁명 때 콜론타이는 볼셰비키 중앙위원회의 유일한 여성 위원이었다. 콜론타이는 또한 1923년부터 1952년까지 소련의 외교를 담당했고 세계 최초의 여성 대사가 되었다.

혁명 전 콜론타이는 1909년에 『여성 문제의 사회적 기초』를 출간했다. 다음 해에 독일의 여성 혁명가 클라라 체트킨(Clara Zetkin)과 함께 매년 3월 8일을 세계 여성의 날로 정하자고 제안하였다. 여성의 날에 대해서 혁명 전인 1913년과 혁명 후인 1920년에 글을 써서 발표했다. 우리는 두 글의 비교를 통해서 러시아혁명이 어떻게 여성의 날의 위상을 바꾸었는가를 알 수 있다.

레닌은 1921년 3월 4일, 세계 여성의 날에 대해 쓴 글을 발표하였다. 3월 8일부터 16일까지 10차 러시아공산당전당대회가 열렸다. 콜론타이는 노동자 반대파 활동을 한 이유로 숙청되었다. 숙청은 잘못을 저지른 사람이 보직에서 물러나서 자기반성 기간을 가지고, 복귀를 기다리는 것을 의미한다. 자기반성을 한 콜론타이는 이듬해에 모든 면에서 자원이 부족하여 외국과의 무역과 교류가 절실히 필요했던 신생 국가 소련의 막중한 외교 업무를 맡게 되었다. 이는 레닌에게 반대했던 콜론타이를 국외로 추방하기 위해서라는 것이 현재 학계의 지배적인 이야기다. 그러나 콜론타이와 같이 6, 7개국 언어를 자유자재로 구사할 수 있고 다른 나라에 대해 수준 높은 학술적 글을 적을 수 있으며 국제 활동을 다양하게 한 사람은 거의 없었다.

아래 연표를 보면 레닌이 혁명 전 콜론타이 같은 국제 활동가들 덕분에 러시아와 연락망을 유지할 수 있었음을 알 수 있다. 레닌은 특히 콜론타이에게 수많은 국제 활동을 요청했다. 국내 정치에서 배제하려고 국외로 쫓아낸 여성 혁명가에게 굳이 세계 최초의 여성 대사라는 명예를 준다는 것은 상식적으로 불가능하다. 레닌과 볼셰비키 지도부는 콜론타이가 가진 국제 활동가로서의 오랜 역량과 경험을 인정했으므로 외교 업무를 맡긴 것이다. 콜론타이는 기대에 부응해서 2번의 노동 적기 훈장과 레닌 훈장을 받았고 노벨 평화상 후보에 오를 정도로 혁혁한 성과를 보였다.

1921년, 레닌은 콜론타이가 제안한 여성의 날에 대해 글을 발표하면서 나흘 뒤 열릴 10차 러시아공산당대회에서 숙청될 것을 알고 있었을 것이다. 1922년에 레닌은 여성의 날을 공휴일로 제정하였고 콜론타이는 10월 외교 업무를 시작하게 되었다. 이런 전후 맥락을 알고 혁명 동지인 콜론타이를 생각하는 레닌의 심정은 어떠했을지 한번 떠올려보면, 레닌의 세계 여성의 날에 대한 글을 읽는 데 도움이 될 것이다.

연표

1872년

3월 19일, 상트페테르부르크에서 태어났다. 어머니인 알렉산드라 도몬토비치(Aleksandra Mikhailovna Domontovich)는 첫 남편과의 사이에서 딸 둘과 아들 하나를 낳았지만, 이혼 절차가 마무리되기도 전에 두 번째 남편이 될 미하일 도몬토비치(Mikhail Domontovich)와 함께 콜론타이(Aleksandra Mikhailovna Kollontai)를 낳았다. 출산을 통해 '사회적 선언'을 실천한 1860년대의 신여성이었다. 콜론타이의 아버지는 13세기로 거슬러 올라가는 러시아 귀족 출신이었지만 어머니는 핀란드에서 온 무역 상인의 딸이었다. 소피아에서 첫 여자고등학교를 세우는 데 참여하였다. 콜론타이의 아버지는 아이들에게 외할아버지가 천한 신분의 농부 출신이었다는 것을 잊지 않도록 교육을 했다. 콜론타이에게 영국인 유모를 붙여 7살이 채 되기 전에 영어와 프랑스어, 독일어 등을 구사할 수 있도록 하였다.

1888년

콜론타이는 가정에서 교육을 받았다. 이후에 상트페테르부르크 학교에서 졸업 시험을 통과하고 교사 자격증을 취득했다.

1892년

가족과 함께 베를린, 파리를 방문하면서 「공산당 선언」 등의 마르크스주의 문헌을 처음 접하게 된다. 사회주의자 모임에 나가기 시작하였다.

1893년

상트페테르부르크의 엔지니어인 블라디미르 콜론타이(Vladimir Kollontai)와 결혼했다.

1894년

아들 미하일 콜론타이(Mikhail Kollontai)를 낳았다.

1895년

적십자사에서 일하면서 정치범을 돕는 활동을 하고 인민의 의지당과 접촉하였다.

1896년

콜론타이는 나르바를 방문하여, 크레홀럼 섬유 공장의 남녀 노동자들의 생에 대해서 배우게 되었다. 상트페테르부르크의 섬유 노동자 파업 기간인 5월 24일부터 6월 17일까지 콜론타이는 노동자 지원을 조직화하고 노동자들이 스스로 조직화할 수 있도록 소책자들을 배포하였다.

1898년

공부를 더 하겠다는 명분으로 가정을 영원히 떠나 스위스 취리히대학에서 사회과학을 공부하며 저술 활동을 시작했다. 가정은 떠났으나 아들과의 관계는 평생 다정했다.

1899년

런던으로 가서 비어트리스 웹(Martha Beatrice Potter Webb)과 시드니 웹(Sidney James Webb) 부부의 강의를 들으면서 영국 노동자 운동에 대해 공부하였다. 상트페테르부르크로 돌아와 기존 정치 모임과의 관계를 정리하고 지하 혁명 조직 활동을 시작하였다.

1900년

핀란드에 관해 첫 논문을 적었고, 이 글은 독일의《사회적 실천》에 게재되었다.

1901년

국외로 나가 로자 룩셈부르크(Rosa Luxemburg), 마르크스(Karl Heinrich Marx)의 사위인 폴 라파르그(Paul Lafargue)와 딸 로라 라파르그, 카를 카우츠키(Karl Johann Kautsky), 플레하노프(Georgii Valentinovich Plekhanov)와 친분을 쌓았다.

1902년

독립적으로 핀란드 노동자 문제를 연구하여『핀란드 농업 문제』를 썼다.

1903년

1월, 상트페테르부르크 학생들 모임에서 첫 연설을 한 이후 비합법 문헌 배포를 포함한 선전 선동 활동을 본격 시작하였다. 레닌으로부터 핀란드에 관해 글을 쓸 사람이 절실하게 필요하므로 함께 일하자는 제안을 받았다.

2월, 첫 책으로『핀란드 노동자의 삶』을 냈다.

11월, 노동자 조직화 활동을 본격적으로 시작하였다.

1905년

3월, 차르 체제에 반대하는 무장 봉기를 요청하는 소책자들을 배포하였다.
4월, 상트페테르부르크에서 처음 여성 모임에 참가하였다. 이때 혁명적인 여성 사회주의자들은 남녀 성 대결을 조장하면서 자신들의 이익을 챙기는 부르주아 여성 운동가들과는 협력할 수 없음을 연설했다.
9~10월, 혁명 운동이 고조되자 선전 선동에 전념하였다.
11월, 상트페테르부르크에서 레닌을 처음 만나 연설을 들었다. 1차 러시아혁명(1905~1907) 동안 사회민주당 지도자들에게 여성 사회주의 운동의 필요성을 설득하고 다녔다.

1906년

핀란드를 짧게 방문했을 때 로자 룩셈부르크를 만났다.
9월, 독일 사회민주당 회의에 참가하여 아우구스트 베벨(August Bebel), 카를 리프크네히트(Karl Liebknecht), 클라라 체트킨(Clara Zetkin) 등과의 교류를 시작하였다.

1907년

상트페테르부르크의 섬유 노조에서 활동을 시작하였다.
8월, 스투트가르트에서 국제 여성 사회주의자 회의에 러시아 대표로 참가하여 여성도 선거에 참가할 수 있는 보통 선거권을 지지하는 연설을 하였다.
제2인터내셔널의 7번째 대회에 참가하여 보통 선거권에 대해 연설하였다. 러시아로 돌아와 상트페테르부르크의 여성 노동자를 조직하면서 '여성노동자상호부조회'를 합법적으로 열었다. 『핀란드와 사회주의』를 출간하였다.

1908년

『여성 문제의 사회적 기초』를 집필한 후 카프리에 있던 막심 고리키(Maxim Gorky)에게 평을 부탁하였다.
9월, 사회민주당 당원인 신분과 자신의 저술과 선동 활동으로 고소를 당해 지하 활동으로 들어가게 되었다.
10~11월, 첫 전러시아여성대회를 바쁘게 준비하였다.
12월 10일~13일간 열린 전러시아여성대회에 참가한 후 구속을 피해 국외로 나갔다. 이때부터 1917년 3월까지 이민자의 삶을 살게 된다.

1909년

1월, 『여성 문제의 사회적 기초』를 출간하였다. 독일 사회민주당 당원이 되어 강의, 선동을 담당하는 전업 활동가가 된다.
5월, 클라라 체트킨과 런던으로 가서 런던 노동자들과 접촉하였다. 국제 여성 사회주의자 회의에서 상트페테르부르크의 북부 공업 지대의 노동조합 관리자로 선출되었다.

1910년

8월 26~27일, 코펜하겐에서 열린 국제 여성 사회주의자 회의에 참가해 클라라 체트킨과 함께 모성 보호와 양육에 관한 연설을 하면서 매년 3월 8일을 세계 여성의 날로 지정할 것을 제안하였다. 이 대회에서 여성 사회주의 운동을 담당하는 국제 서기단의 회원으로 선출되었다. 대회가 끝난 후에는 제2인터내셔널 8차 대회에 참가하였다.

1911년

2월, 이탈리아 볼로냐에서 막심 고리키가 조직한 멘셰비키

학교에서 핀란드 문제, 가족의 진화 등에 관한 강의를 하면서 러시아와 접촉하였다. 프랑스, 벨기에, 독일 등을 다니면서 모금을 하고 프랑스 사회주의당에 열렬히 참가하였다.
12월 3일, 폴 라파르그 부부의 장례식에 참석하여 추도하였다.

1912년

벨기에 사회주의당으로부터 선동을 요청받아 21일간 19번의 연설을 하였다.
봄, 스웨덴 사회민주당의 좌파로부터 초청을 받아 선동했다.
여름, 스위스 사회민주당의 요청으로 여성 문제에 대해 강연들을 했다.
9월, 영국을 방문하여 노동조합 대회에 참가하여 협동조합 운동에서의 여성의 역할에 대해 공부하고 『여성과 모성』에 쓸 자료들을 모았다. 『노동 계급의 유럽을 여행하면서』가 출간되었다.

1913년

2월 17일, 볼셰비키의 합법 신문인 《프라우다》에 '여성의 날'에 대해 기고했다. 러시아에서 처음 열린 세계 여성 노동자의 날을 축하하기 위한 것이었다. 스위스 사회민주당 좌파는 세계 여성의 날 조직을 위해 그녀를 초청하였다.
봄, 베를린으로 돌아와 『신여성』을 출판하고 가을까지 『사회와 모성』을 썼다. 이는 러시아 제국 시대의 연방 의회인 듀마에서 여성 문제 전문가로서의 경험을 담아냈다. 모성이 사회적으로 중요한 것임을 인지하고 국가가 이를 정책으로 구현해야 여성이 어머니와 노동자의 이중 역할에서 벗어날 수 있다고 주장했다.

1914년

5월 말, 베를린에서 열리는 전쟁과 군국주의에 반대하는 여성 노동자 모임을 조직했다. 대회에 참석하려고 했으나 경찰이 도착하여 참석하지 못하고 연설문은 대독되었다.
8월, 독일 경찰에 의해 체포되었다가 독일사회민주당 의원이던 카를 리프크네히트의 항의로 풀려났다. 로자 룩셈부르크, 클라라 체트킨 등과 모여서 전쟁, 평화, 혁명에 대해 의논했다.
9월 중순, 카를 리프크네히트의 도움으로 덴마크로 거처를 옮긴 후 사회민주당의 선동을 지도했다.
10월, 덴마크 경찰이 추적하자 스웨덴으로 옮겨가 활발한 반전 운동을 시작했다.
11월 중순, 스웨덴 당국으로부터 반군국주의 활동과 국가 안보를 위협한 죄로 체포되었다.
11월 말, 스웨덴에서 추방되어 덴마크로 돌아왔다.

1915년

1월, 중립국(스웨덴, 덴마크, 네덜란드, 노르웨이)의 사회주의자 회의에 초대받아 러시아 사회민주당의 중앙위원회를 대표해 쓴 레닌의 「반전 선언」을 전달하였다.
2월, 노르웨이 사회민주당의 초청으로 노르웨이로 옮긴 후 볼셰비키와 교류했다. 레닌과 상트페테르부르크 간의 연락을 담당했다.
3월, 노르웨이의 여성 모임에 참가하여 전쟁 반대 연설을 했다. 베를린에서 열린 국제 여성 사회주의자 회의에 레닌의 정책을 지지하는 선언문을 보냈다. 여름 〈공산주의자〉와 일을 하기 시작했고 레닌의 요청으로 『누가 전쟁을 필요로 하는

가』라는 소책자를 썼다.

7~8월, 짐머발트에서 열리는 국제 사회주의 회의에 반전을 주창한 레닌의 연설문을 스웨덴어와 노르웨이어로 번역하였다. 이후 전쟁에 반대하는 사회주의자들은 짐머발트 사회주의자라 불리게 되었다.

9월, 『누가 전쟁을 필요로 하는가』가 레닌의 편집으로 출판되었다. 미국 사회민주당의 독일 부분의 초청으로 미국에 가서 반전과 짐머발트 원칙을 전파했고 볼셰비키에 가입하였다. 레닌이 『사회주의와 전쟁』을 영어로 번역해서 영어권 반전 활동을 할 것과 미국에서 모금 활동을 해 달라고 요청하였다. 혹자는 레닌과 밀접하게 활동한 콜론타이를 레닌의 사자(使者)라고 부르기도 한다.

1916년

3~8월, 미국에서 노르웨이로 돌아와 러시아에 비합법 문건들을 배포하는 지하 활동을 하였다.

8월 말, 다시 미국으로 가서 비단 산업의 중심지인 패터슨에 머물면서 미국 사회주의 활동에 적극 참가하였다.

1917년

1월, 노르웨이로 돌아왔다.

2월, 소책자 『누가 차르를 필요로 하는가: 차르 없이도 살 수 있는가』를 적었다. 스위스에 있던 콜론타이는 러시아의 2월 혁명에 대해 듣고는 레닌에게 전보를 보내서 모든 볼셰비키의 귀국을 지시해달라고 요청했다. 레닌으로부터 '먼 곳으로부터 온 편지'를 받아 페트로그라드에 있는《프라우다》편집팀에 보냈다. 얼마 뒤, 러시아 페트로그라드로 귀국했다. 볼셰비키 군사위원회에 의해 페트로그라드 소비에트 부의장으로 선출되었다. 볼셰비키 사무국의 국원이 되었다.

4월, 스위스에서 돌아온 레닌과 크루프스카야(Nadezhda Konstantinovna Krupskaya)를 만났다. 레닌은 사회주의자들에게 임시정부에 참여하는 것을 철회하고 모든 권력을 소비에트로 집중하라는 4월 테제를 발표한 직후, 이를 유일하게 지지하는 것은 콜론타이밖에 없었으며 그녀는 정열적으로 대중 사이에서 이를 선동하여 10월 혁명을 여는 데 공헌을 하였다. 이때의 활동만으로도 콜론타이의 생애에서 가장 찬란했던 순간으로 역사에 기록될 수 있다.

7월 초, 케렌스키 임시 정부에 의해 독일 첩자로 체포되었다. 투옥 당시 발틱 함대의 소비에트 수병들은 콜론타이에게 '발틱 함대의 수병들은 동료 콜론타이를 환영합니다'란 쪽지와 식빵, 소시지, 통조림, 버터, 달걀, 꿀 등을 선물했다.

8월 21일, 막심 고리키와 기술자 레오니드 크라신(Leonid Krasin)이 5,000루블의 보석금을 주고 콜론타이를 석방해주었다. 그리고 중앙위원회의 위원으로 되었다.

11월(차르력 10월 25일), 스몰니 학원에서 열린 제2차 전러시아소비에트대회가 임시정부는 타도되었고 모든 권력을 소비에트가 장악했음을 선포할 때 그 자리를 지키고 있었다.

11월 5일, 첫 페트로그라드 여성 노동자 회의에 참가해 모성보호와 양육에 관한 연설을 하였다.

11월 8일~1918년 3월, 첫 소비에트 사회 복지 인민 위원이 되어서 이혼법, 결혼법, 서자의 평등 등 모성과 아이 보호에 관한 여러 법안 등을 준비했다. 콜론타이는 발틱 함대 소비에트를 주도하던 파벨 디벤코와 재혼하였다.

1918년

3월, 전 러시아 집행 위원으로 임명되어 스웨덴, 영국, 프랑스에 러시아 상황을 알렸다.
11월, 첫 전러시아여성노동자농민대회에 참가하여 '가족과 공산주의 국가'에 대해 연설하였다. 『새로운 도덕』, 『노동 계급, 가족, 공산주의 국가, 혁명 이후의 여성 노동자, 여성 노동자 국제 대회』를 출간하였다.

1919년

3월, 제3인터내셔널의 첫 대회에 참가하여 공산주의 운동에서 여성 참가에 관한 결의안을 내었다.
4~8월, 볼셰비키 중앙위원회의 결정에 따라 우크라이나로 가서 선전과 조직 활동을 한 후 모스크바로 돌아왔다. 제노텔(여성전담국)을 세우는 데 중심이 되었고 제노텔의 목적은 당 전 부문에 여성이 역할을 맡는 것이었다. 콜론타이는 1920년부터 1922년까지 제노텔의 수장을 맡았다.

1920년

1월, 당과 노동조합의 관계가 논의되면서 볼셰비키 내의 내부 사상 투쟁이 격렬하게 진행되었다. 콜론타이는 '노동자 반대파'의 대표적인 선전 선동가로 활동을 시작하였다.
11월, 제노텔의 설득으로 낙태가 합법화되었다.
12월, 여덟 번째 전러시아소비에트대회에서 전러시아집행위원회원으로 선출되었다. 소책자 『세계 여성의 날』을 출간하였다.

1921년

3월 8일부터 16일까지, 10차 러시아공산당 전당대회가 열렸다. 볼셰비키 내부에 노동자 반대파를 비롯한 분파들을 인정하지 않는 것과 사적 기업을 허가하되 무역, 은행, 중공업은 국가의 손에 두는 신경제 정책을 채택한 결정이 났다. 콜론타이는 이 2가지 결정에서 영향을 받았다. 콜론타이는 노동자 반대파 활동으로 숙청을 당했다.

6월 22일부터 7월 12일까지, 코민테른 3차 대회가 열렸다. 이 대회에 참가하여 노동자 반대파로서 연설한 후 레닌에게 비판을 받아 자기반성을 하게 되었다. 1918년부터 시작된 내전은 소련 내 좌우의 대립이 아니었다. 영국, 미국, 프랑스 제국주의 등의 지원을 받는 백군들과의 10여 차례의 내전은 러시아 전역에서 동시 다발로 일어난 국제전이었다. 내전에 패배한다는 것은 소비에트러시아를 러시아혁명 이전의 시기로 돌리는 것만이 아니라 내전에 관여한 제국주의 국가들이 식민지로 전락한다는 것을 의미하였다. 내전은 제국주의 국가들과의 전쟁이기에 모든 역량을 하나로 모아 총력전으로 치러야 했다. 러시아혁명을 지키려고 노동자들이 군인으로 자원해 전선에서 죽어가고 있을 때, 노동자 반대파들이 전쟁이라는 특수한 상황을 무시하고 노동자 조직은 자율적으로 운영되어야 한다는 '원론'을 내세운 것은 잘못이었다. 콜론타이는 이런 자기반성을 한 이후에 당의 노선으로부터 이탈하지 않았다.

12월, 『여성과 경제적 진화』, 『소비에트러시아에서 여성 노동자와 농민』을 출간하였다.

1922년

10월 4일, 노르웨이 공사로 임명되었다. 디벤코와 5년간의 결혼 생활을 끝냈다.

1923년

5월 30일, 노르웨이에서 소련 외교와 무역에서 전권을 가진 대표와 수장이 되었다. 여성으로서 이런 지위에 오른 사람은 콜론타이가 세계 최초였다. 소설 『붉은 사랑』과 『위대한 사랑』을 출간하였다.

1924년

8월 9일, 노르웨이의 소련 대사가 되었다.

1926년

소련과 노르웨이 간의 무역과 항해 조약에 서명했다.
9월 17일, 멕시코 무역에 관한 전권을 부여받았다.

1927년

6월 4일, 건강상의 이유로 멕시코에서 모스크바로 귀국하였다.
10월, 노르웨이 대사로 재임명되었다. 『케렌스키 감옥에서』를 출간하였다.

1930년

스웨덴의 소련 공사로 임명되었다.

1933년

3월 7일, 레닌 훈장을 받았는데 그 공로는 여성 노동자 농민에 대한 공산주의 교육에서 헌신적인 활동을 펼친 것이었다.
6월, 케렌스키 정부가 스웨덴 은행에 맡긴 금을 소련으로 돌려보내는 조약 체결을 위한 활동을 하였다.

1935년

5월 20일, 스웨덴-소련 친선 협회를 설립하는 데 중요한 역할을 했고 명예회원이 되었다.
9월 9일부터 22일까지, 국제연맹의 16차 모임에 소련대표단으로 참석하였다.

1940년

3월, 모스크바 평화 조약이 맺어졌다. 콜론타이는 소련과 핀란드의 전쟁을 끝낸 이 조약 체결을 주도하였다.

1942년

4월 4일, 70회 생일을 맞아 노동적기훈장을 받았는데 공로는 소련 국가에 대한 봉사였다.

1943년

소련 최고 소비에트의 최고간부회의의 칙령에 따라 특별 대사의 지위에 올랐다.

1945년

건강이 나빠져 대사직을 사퇴했다. 콜론타이는 전쟁 전, 뇌졸중으로 쓰러진 적이 있었다. 얼굴 일부와 왼손이 마비된 채 휠체어를 타고 러시아와 핀란드 간의 전쟁을 막으려고 노력하는 정열적인 활동을 벌였다.

9월 5일, 두 번째 노동적기훈장을 받았다. 공로는 '위대한 애국전쟁(1941~1945)' 기간에 소련 정부가 부여한 임무를 훌륭하게 수여한 것이었다. 노벨 평화상 후보에도 올랐다.

1946-1952년

외교 고문으로서 많은 일을 해냈다. 은퇴 후의 삶이라는 것은 없고 영원한 현역이다.

1952년

3월 9일, 80회 생일을 앞두고 심장마비로 사망하였다.

참고도서

1. 알렉산드라 미하일로브나 콜론타이 지음, 정호영 옮김(2013), 『콜론타이의 붉은 사랑』, 노사과연(노동사회과학연구소), pp.291~296.

2. Alexandra Kollontai(1926), The Autobiography of a Sexually Emancipated Communist Woman, Herder and Herder

3. B. 판스워드 지음, 신민우 옮김(1986), 『알렉산드라 콜론타이』, 풀빛.

4. Natalia Gafizova, KOLLONTAI, Alexandra (18721952) in Francisca de Haan,Krasimira Daskalova,Anna Loutfi(ed. 2006), Biographical Dictionary of Women's Movements and Feminisms, CEU Presspp. pp.253~257.

5. Some Important Dates and Events in the Life of Alexandra Kollontai in Alexandra Kollontai(1972), Selected articles and speeches, Progress publishers, pp.200~215.

콜론타이의 여성 문제의
사회적 기초 · 세계 여성의 날

초판 인쇄 | 2018년 2월 26일
초판 발행 | 2018년 3월 5일

지은이 알렉산드라 콜론타이 · 블라디미르 일리치 레닌
옮긴이 서의윤
펴낸이 최종기
펴낸곳 좁쌀한알
디자인 제이알컴
신고번호 제2015-000058호
주소 경기도 고양시 일산동구 장항로 139-19
전화 070-7794-4872
E-mail dunamu1@gmail.com

ISBN 979-11-954195-6-2 03340

이 도서의 국립중앙도서관 출판예정도서목록(CIP)은 서지정보유통지원시스템 홈페이지(http://seoji.nl.go.kr)와
국가자료공동목록시스템(http://www.nl.go.kr/kolisnet)에서 이용하실 수 있습니다.(CIP제어번호: CIP2018006692)

판매 · 공급 | 한스컨텐츠㈜
전화 | 031-927-9279
팩스 | 02-2179-8103